농업과 먹거리의 정치경제학

이 책은 2013년 정부(교육부)의 재원으로 한국연구재단의 지원을 받아 수행된 연구임(NRF-2013S1A3A2055243).

울력 해선문고 03

농업과 먹거리의 정치경제학

윤병선 지음

울력

ⓒ 윤병선 2015

농업과 먹거리의 정치경제학 (울력 해선문고 03)

지은이 | 윤병선
펴낸이 | 강동호
펴낸곳 | 도서출판 울력
1판 1쇄 | 2015년 8월 20일
1판 3쇄 | 2024년 2월 29일
등록번호 | 제25100-2002-000004호(2002. 12. 03)
주소 | 08275 서울시 구로구 개봉로23가길 111. 108-402
전화 | 02-2614-4054
팩스 | 0502-500-4055
E-mail | ulyuck@naver.com
가격 | 13,000원

ISBN | 979-11-85136-19-6 03320

이 도서의 국립중앙도서관 출판예정도서목록(CIP)은 서지정보유통지원시스템 홈페이지
(http://seoji.nl.go.kr)와 국가자료공동목록시스템(http://www.nl.go.kr/kolisnet)에서
이용하실 수 있습니다. (CIP제어번호: CIP2015017608)

서문

이 책은 현대의 농업 문제가 발생하게 된 배경을 역사적·구조적으로 분석하고, 농업 문제를 해결하기 위한 대안을 모색하자는 의도를 가지고 서술되었다. 그리고 먹거리 문제를 농업 문제와 통합적으로 파악하려는 의도에서 책의 제목에 농업과 먹거리를 함께 넣었다.

농사일에는 전혀 문외한인 저자가 농업에 대하여 관심을 갖게 된 것은 1980년대 한국의 시대적 상황 때문이었다. 대학에 입학한 후, 알프레드 마셜(Alfred Marshall)의 "냉철한 이성, 그러나 뜨거운 가슴"이라는 경구나 "경제학의 복잡한 분석은 두뇌 체조가 아니라, 불확실성에 휩싸여 불안한 생활을 하는 다수의 사람들에게 빛을 주는 데 그 목적이 있다"는 아서 피구(Arthur C. Pigou)의 후생 경제학 서문에 있는 글을 김병태 선생님을 통해서 들었을 때 필자가 무엇을 위해서 공부해야 할지에 대한 다짐이 섰다. 학부의 농업경제학 수업은 그야말로 '자본'과의 싸움이었다. 농업경제학 수업에 '농업'이라는 단어만큼이나 '자본'이라는 단어가 많이 등장했다. 추상적으로만 생각되던 자본을 실체로 인식하기까지는 많은 시간이 필요했다.

대학원에서 농업경제학을 연구할 때, 정치경제학에 바탕을 둔 농업경제학 서적은 주위에 넘쳐났다. 한국에서 사회과학이 전성기를 이루었던 시기라고 할 수 있는 80년대 중반에는 관련 번역서나 원서를 쉽게 구할 수 있었고, 진보적 연구 단체를 중심으로 농업경제학 개설서가 출판되기도 했다. 하지만 최근에는 정치경제학적 기반을 가지고 서술된 농업경제학 서적들을 쉽게 접할 수 없게 되었다. 그러다 보니 좀 더 근원적으로, 체계적으로 농업 문제를 고민해 보고 싶어도 마땅히 읽을 만한 책은 중고서점에서도 구하기 어렵다는 이야기를 종종 듣곤 했다. 먹거리와 관련된 서적들이 많이 출판되고, 최근 TV에서는 이른바 '먹방,' '쿡방'이 대세이긴 하지만, 보다 깊이 있게 농업과 먹거리 문제를 본질적으로 파악할 수 있는 이론서가 부족하다는 것이다. 그래서 그동안 농업경제학을 공부하면서, 그리고 대학에서 직을 가지고 있으면서 세상에 진 빚을 조금이라도 갚아야겠다는 생각을 갖고 정리한 것이 이 책이다.

이 책은 크게 2부로 구성되어 있고, 앞에 서장을 두었다. 서장은 현대의 농업 및 먹거리 문제에 관련된 내용을 전체적으로 소개하고 있다. 제1부 농업 문제의 기초 이론은 정치경제학적 분석 방법을 바탕으로 농업 문제를 서술하고 있다. 그렇다 보니 내용의 많은 부분은 새로운 이론이라기보다는 그동안 논의되어 왔던 것을 정리한 것이고, 필자는 여기에 벽돌을 하나 더 올려놓는다는 생각으로 정리했다. 제2부에서는 현대 농식품 체계와 한국 농업이 가지고 있는 문제의 본질과 그에 대한 대안 운동에 대해서 서술하고 있다. 2부의 내용은 저자가 그동안 발표했던 논문들을 바탕으로 이 책의 서술 의도에 맞게 재구성하여 정리하였다.

생각해 보니, 저자가 농업 문제 연구에 발을 들여놓은 지 30여 년이라는 시간이 흘렀지만, 이 정도의 저술밖에 내놓지 못하는 것이 부끄러울 뿐이다. 그럼에도 불구하고 이 책이 한국의 농업 문제, 먹거리 문제를 고민하는 농민들에게 읽혀서 한국 농업의 발전에 조금이라도 기여할 수 있다면, 아울러 먹거리에 관심을 갖고 있는 소비자들에게도 이 책이 문제의 근원을 파악하는 데 약간의 도움이라도 줄 수 있다면, 그래서 농업 문제의 해결에 함께 할 수 있다면, 저자로서는 더 이상의 영광은 없을 것이다.

끝으로 이 책을 출판하는 데 있어 교정 작업을 함께 한 박사과정의 송원규 군과 이 책의 출판을 흔쾌히 허락해 준 울력의 강동호 사장께 진심으로 감사의 뜻을 전한다.

2015. 8. 1.
지은이 윤병선

차례

2부 농업과 먹거리의 정치경제와 대안의 모색

서장

먹거리 불안의 시대

흔히들 사람이 살기 위해 반드시 해결해야 할 것으로 '의식주'를 이야기한다. 그러나 의식주가 해결된다고 해서 사람답게 살 수 있는 것은 아니다. "사람은 빵만으로 살아갈 수 없다"는 말이 등장한 것도 그런 맥락이다. 그런데 "사람은 빵만으로 살아갈 수 없다"는 말은 역설적이게도 빵, 즉 먹거리의 문제가 해결되지 않고서는 사람은 살아갈 수 없다는 것을 말해 주고 있다. 곡물 자급률 23.1%(2013년 잠정치)에 불과한 한국의 상황에서 볼 때, 우리는 가장 기본적인 것도 해결하지 못하고 있는 셈이다. 1인당 국민소득 3만 불 시대에 살다 보니 부족한 먹거리를 그나마 수입을 통해서 해결할 수 있는 상황이지만, 이러한 방식이 앞으로도 가능할 것이라고 판단하기는 어려운 상황이다. 조금만 시야를 넓혀 보면 이 지구상에는 아직도 기아로 고통 받는 사람이 전 세계 인구의 약 15%를 넘는다. 현재에도 세계에는 10억 명 이상의 사람들이 기아와의 전쟁을 치르고 있다. 그리고 하루 세 끼를 해결할 수 있다 하더라도 질 나쁜 먹거리로 인해 많은 사람들이 각종 질병에 노출되고 있다. 우리의 식탁은 어디에서, 누가, 어떻게 만들었는지 알 수 없는 정체불명의 먹거리에 점령당한 지 오래고, 각종 식품첨가물, 화학 보존제 등의 사용이 증가하고 조류독감, 구제역, 그리고 각종 식품사고가 빈발하면서 많은 사람들이 불안해하고 있는 것이 현실이다.

예로부터 '농자천하지대본(農者天下之大本),' 즉 농(農)이라는 것이 천하의 가장 큰 근본이라는 말이 있지만, 지금 우리의 농업, 농촌은 그야말로 고사 위기에 빠져 있다. 예전에는 3,000평(1ha)의 농사를 지으면 가계비를 충족할 수 있었지만, 지금은 7ha는 되어야 가계비를 충족할 수 있다. 농사를 지어서 가계를 꾸려 가는 것이 갈수록 힘들어지고 있는 것이다. 최저생계비 이하의 농가가 전체 농가의 1/4을 차지하고 있는 암울한 모습이다. 우리의 곳간을 지켜야 할 농민들이 신명나게 농사를 지을 수 있는 세상과는 거리가 한참 멀다.

상황이 이런 까닭에 한국은 먹거리와 관련해서 안전지대에 있다고 할 수 없게 되었다. 과거에는 자동차나 핸드폰과 같은 공산품을 수출해서 확보한 달러로 곡물을 수입해서 부족한 먹거리를 충당할 수 있었지만, '값싼 먹거리의 종언(the end of cheap food)'이라는 말이 나올 정도로 상황은 많이 달라졌다.

값싼 먹거리의 종언

왜 '값싼 먹거리의 종언'이라는 말이 등장하게 되었을까? 이 질문에 답하기 위해서는 우리의 농업과 먹거리를 둘러싸고 있는 다양한 관계들에 대하여 살펴봐야 한다.

우선 기후변화 등 농업 생산 여건이 날로 악화되고 있다. 일례로 이상기후로 인해 흉년이 발생하는 주기가 과거의 7~8년에서 3~4년으로 단축되었다. 시장의 불안정성이 확대되었다는 의미이다. 이에 더해서 농산물은 필수재이기 때문에 가격이 상승했다고 해서 소비량을 줄이는 것도 상대적으로 어렵다. 수급 상황이 시장가격에 민감하게 반영될 수밖에 없는 구조라고 할 수 있다. 또한 현대의 농업 생산은 석유에 기반한 산업으로 탈바꿈한 지 오래인데, 에너지 자원의 고갈이 우려되는 상황에서 과거와 같이 에너지를 많이 소비하는 농업 방식 자체가 지속가능하지 않을 뿐만 아니라, 이에 근거한 식량 생산의 확대도 어려워지고 있다. 석유 가격의 상승은 곡물 가격의 상승으로 이어지고 있다. 과거에는 사람들의 먹거리와 가축의 사료로 쓰였던 곡물이 이제는 원유 가격 상승을 계기로 농산 연료(agrofuel)의 원료로도 사용되고 있기 때문이다. 이러한 점들이 '값싼 먹거리의 종언'을 이야기하게 만드는 농업 생산을 둘러싼 조건이라고 할 수 있다.

여기에 '값싼 먹거리의 종언'을 가속화시키고 있는 것이 신자유주의 세계화로 인해 가속화된 공적 영역의 사유화, 독과점

화, 금융화라고 할 수 있다. 지역이 필요로 하는 먹거리를 지역
에서 생산하는 시스템은 19세기 말부터 식민지 지배와 피지배
라는 틀거리에서 깨지기 시작했고, 1972년 식량 위기를 계기로
몇몇 국가가 식량 수출을 담당하는 기형적인 구조가 되었다. 세
계 곡물 시장에서 주요 수출국은 미국, 브라질, 아르헨티나, 캐
나다, 오스트레일리아 등 소수의 국가에 한정되어 있다. 수출
상위 3국이 전체 수출량에서 차지하는 비중은 콩 88%, 옥수수
73%, 밀 52%, 쌀 66%에 이른다(2013년 기준). 더욱이 소수의 곡
물 수출국 중에서도 미국이 차지하는 비중은 매우 높다(콩은
40%, 옥수수의 경우는 37%). 곡물 수출이 소수 국가에 의해 집중
되고 있는 상황에서 카길(Cargill), ADM, 벙기(Bunge), 루이 드레
피스(Louis Dreyfus) 등 4개 거대 기업이 전체 수출 물량의 60%
이상을 장악하고 있다. 우리나라도 이들 4개 초국적 농기업에
서 수입하는 곡물의 비중이 60%에 이른다. 전체 생산량 가운데
국제시장에서 거래되는 비중(무역률)이 공산품에 비해서 현저하
게 낮을 뿐만 아니라 곡물 생산도 일부 국가에 집중되어 있고,
이를 수출하는 업체도 소수에 집중되어 있는 상황에서, 많은 사
람들의 생존 자체를 위협하는 식량 위기가 이들 초국적 농기업
에게는 부를 획득할 수 있는 절호의 기회가 되고 있다. 이를테
면 2007~2008년의 식량 위기로 국제 농산물 가격은 24% 인상
되었지만, 카길, ADM, 벙기 등의 이윤은 103%나 증가했다. 정
작 농민들은 농자재 값이 함께 오른 탓에 곡물 가격의 상승에
따른 혜택을 그다지 보지 못했다. 오히려 우리나라에서는 사료

가격이 천정부지로 치솟자 견디다 못한 축산 농민이 스스로 목숨을 끊기도 했다.

이뿐만 아니다. 곡물 시장에 대한 정보도 이들 소수 업체에 집중되어 있는 관계로 국제 곡물 시장에서는 투기 자본이 발호하기 알맞은 조건을 갖추고 있다고 할 수 있다. 과거에는 가공업체와 같은 실수요자들이 주요 구매자로 나왔지만, 현재는 곡물 가격의 상승을 노린 투기 자본이 선물시장의 주요 구매자로 나와서 국제 곡물 가격의 상승을 부추기고 있다. 실제로 곡물 가격 급등의 배후에는 이들 투기 자본이 작동하고 있다.

먹거리를 지배하는 보이지 않는 거인

이와 같이 먹거리의 위기가 심화된 배경에는 먹거리를 자신들의 먹잇감으로 만들려는 초국적 농기업들의 집요한 공격이 자리 잡고 있다. 이들은 자신들의 이윤을 극대화시키기 위한 논리로, 오래되었지만 새로운 "농산물 자유무역"을 주장했다. "개도국에서 가장 절실한 농업적 과제는 국내에서 소비되는 식량을 생산할 능력을 개발하는 것이라고 믿고 있는데, 이는 잘못된 생각이다. … 각 나라는 국내에서 가장 생산력이 높은 품목을 집중적으로 생산해서 교역해야 한다. … 생계형 농업은 자원의 오용을 부추기고 환경을 망칠 뿐이다"라는 휘트니 맥밀런(Whiteney MacMillan) 카길 회장의 주장도 농산물의 자유무역과 녹색혁명형 농업을 전파하기 위한 협박이었고, 이 협박은 초국적 농기업들이 현재의 국제 곡물 시장을 좌지우지하는 보이지 않는 거인으로 탄생하는 데 기여했다. 녹색혁명을 통해서 초국적 농기업들은 자신들이 생산한 종자, 농약, 비료 등에 의존하지 않을 수 없는 구조를 만들었으며, 이를 통해 농업에 실질적인 지배를 강화해 왔다. 농민들은 농사의 처음이자 끝이라 할 수 있는 종자(씨앗)도 기업에 의존하게 되었다. 예전에는 농민들의 육종에 의해 품종이 개량되었으나, 지금은 농민들이 다수확 종자를 시장에서 구입하고 그 종자에 의존하면서 추가로 화학비료와 살충제, 제초제를 구입하지 않으면 안 되는 구조가 되었다. 농민들은 '농업의 악순환'이라는 함정에 빠지게 되었다.

또한, 이들 초국적 농기업들은 자신들의 영향력을 확대하기 위해서 다양한 방법들을 동원하여 먹거리와 관련된 정책을 입안하는 데 영향력을 미친다. 카길의 최고경영자 어니스트 미섹(Ernest Micek)은 클린턴 정부에서 미국의 농산물 수출 정책을 자문하는 대통령수출자문단의 일원으로 활약했다. 미국 환경보호국의 부국장이었던 린다 피셔(Linda J. Fisher)는 유전자조작(GM) 종자의 특허권을 90% 이상 보유한 몬산토(Monsanto)에서 정부와 대중을 상대하는 업무를 총괄하는 자리에 임명되었고, 미국 무역대표부 마이클 캔터(Micheal Kantor)는 몬산토의 세계 홍보 책임자로 임명되었다. 초국적 농기업의 임원이 국가의 정책 수립에 관여하고, 기업을 감독하는 업무를 맡았던 공무원이 감독 대상 기업의 임원으로 활동하는 '회전문(revolving door) 인사'는 초국적 농기업들의 지배력을 강화하는 데 결정적 역할을 수행하고 있다.

자본의 노예가 된 국제기구

원래 농업이나 먹거리는 기본적으로 지역의 역사와 전통과 깊이 연관되어 있었다. 특히 농업이 갖고 있는 '비교역적 성격(non-trade concerns),' '다원적 기능(multi-functionality)'이라는 측면에서 자유로운 경쟁을 통한 농산물 교역은 사회적으로 바람직스럽지 않다는 것이 공통된 생각이었다. 그러나 70년대 중반 이후 신자유주의 세계화가 확산되면서 농업과 먹거리도 기업의 이윤 추구의 각축장으로 변하게 되었고, 국제기구들도 여기에 일조하였다.

예를 들면, Codex Alimentarius(국제식품규격위원회, 일명 코덱스위원회)는 구속력을 행사할 수 없는 느슨한 조직이었으나, WTO의 성립과 함께 각국의 주권에 제한을 가하는 것이 가능한 권력기관으로 변했다. 그와 함께 예전에 각국의 자주적인 판단 아래 이루어졌던 안전성 기준이나 표시 등도 국제적으로 통일하도록 함으로써 결과적으로 규제가 대폭 완화되었다.

경제협력개발기구(OECD)는 농산물에 대한 일정한 규격을 설정해 오고 있는데, 이는 농산물과 관련된 세계적 시장을 만들어 내는 데 기본적인 목적이 있다. OECD는 농업 과학기술의 연구 확산을 꾀한다는 명분하에 '실질적 동등성(substantial equivalence)'이라는 개념을 끌어들였다. 이는 장기간 안전하게 소비되어 온 유사한 작물 및 식품을 비교 대조한 성분 분석에 의해 식품의 안전성을 평가하는 수단인데, 독성 실험 등 의약품이나 식품첨가물에 요구되는 것과 동일한 수준의 안전성 평가를 의무 짓고 있지 않다

국제기구의 비호 아래 초국적 농기업들은 악화되는 식량 사정을 명분 삼아 자신들의 영역을 확장하는 데 적극적이다. 이미 1960~70년대에 녹색혁명을 통해서 이들은 자신들이 생산한 종자, 농약, 비료 등에 농업이 의존하지 않을 수 없는 구조를 만들었으며, 이를 통해 농업에 실질적인 지배를 강화해 왔지만, 그렇다고 기아 문제가 해결된 것은 물론 아니다. 오히려 기아 인구는 더 증가했으며, 생태계의 교란과 먹거리의 위험이 또 다른 문제로 등장했다. 여기에 더해서 이들은 최근에는 바이오 혁명을 내걸고 유전자조작(GM) 종자의 개발에 앞장서고 있다. 녹색혁명을 통해서 농업 생산의 지속가능성을 훼손시켰던 초국적 농기업들이 주체가 된 바이오 혁명이 먹거리 문제를 해결해 줄 것으로 기대하기는 어렵다. 현재에도 GM 농산물의 안전성에 대한 논란은 계속되고 있으며, GM 종자가 수확량의 증가를 가져다줄 것인가에 대해서도 확신을 주지 못하고 있다. 당장은 수확량의 증가를 가져올 수 있을지라도 생태계의 교란에 따른 부작용으로 인해서 장기적으로는 인류의 재앙이 될 것이라는 우려도 나오고 있다.

한국의 농업을 압박하는 또 다른 세력

해방 이후 미국의 원조 물자를 매개로 세계 농식품 체계와 관계를 맺었던 한국의 농식품 체계는 1970년대 중반 이후 농산물 수입 개방이 확대되면서 세계 농식품 체계에 깊숙이 편입되었다. 특히 1986년의 우루과이라운드의 개시, 1995년의 WTO 출범, 동시다발적인 FTA 추진 등은 나약한 한국의 농업을 세계시장에 그대로 노출시켰다. 이러한 급격한 변화는 한국 농업·농촌에 그대로 나타났다. 총인구 대비 농가 인구가 차지하는 비중은 1970년의 44.7%에서 2010년에는 6.4%로 크게 줄어들었다. 90년대 초만 하더라도 도시 근로자 가구 소득과 거의 같은 수준을 유지했던 농가 소득수준은 최근에 60%대 초반으로 추락하였다. 이와 함께 곡물 자급률 수준도 급락해서 1980년의 56%에서 최근에는 23%대로 폭락했다. 이른바 압축 성장으로 묘사되는 이 시기에 한국의 농업·농촌은 압축적으로 파괴되었고, 한국의 먹거리 불안도 심화되고 있는 것이다.

그동안 한국 정부는 규모를 키워서 경쟁에서 이겨야 한다고 온 국민을 세뇌시켜 왔지만, 이미 선진국에서는 소규모 가족농이 실현하고 있는 농업의 다원적 기능에 눈을 돌려 건강한 가족농의 육성을 중요한 농정 목표의 하나로 삼고 있다. 이 때문에 선진국에서는 직접 지불을 통해서 농가 소득을 보전함으로써 농촌공동체의 유지를 꾀하고 있다. 경쟁적인 시장경제로 농민들을 내몰면서 농가 소득을 높이겠다는 것은 애당초 불가능한 농정 목표라는 사실은 역사가 보여 주고 있다. 그동안 역대 정부는 대규모 예산을 편성하여 농업 부문에 쏟아 부었다고 이야기하지만, 실제는 그렇지 않다. 다른 나라에서는 농업의 다원적 기능에 주목하여 농업과 관련된 보조금을 확충해 왔지만, 한국의 경우에는 그렇지 않았다. 농업 생산액 대비 농업 보조금의 비중(2012년 기준)은 OECD 평균 11.4%, EU 8.0%, 미국 6.8%이지만, 한국은 5.6%에 불과하다. 이마저도 정작 농민에게 직접적으로 도움이 되기보다는 생산 기반 시설을 만들고 유통 시설을 만든 농자재업자나 건축업자에게 돌아갔다.

한국의 역대 정권은 선거철이면 항상 농촌을 달래는 농정 구호를 내걸었다. '돌아오는 농어촌,' '돌아오고 싶은 농어촌,' '미래를 열어 가는 농어촌,' '살맛 나는 농어촌,' '행복한 농어촌'에 이르기까지 갖가지 미사여구가 동원되었다. 후보 시절에는 개방을 막겠다고 하고서는 당선되면 어쩔 수 없다는 거짓 변명으로 공약을 뒤집기 일쑤였다. 말로는 농업·농촌·농민을 우선적으로 배려하겠다고 했지만, 실제의 농정은 자본 중심, 대기업 중심의 정책이 취해졌다. 자본의 농업 진출이 지속적으로 이루어져 왔고, 농업에 있어서 가장 기본적인 생산수단인 농지에 대한 소유 제한 완화도 끊임없이 추진되었다. 이른바 규모화를 통한 농업 경쟁력 확보라는 농정의 기조는 바뀌지 않았고, 이 과정에서 소규모 가족농은 뒷전으로 밀려났다. 농산물 수출 대국인 미국만 하더라도 가족농 및 소규모 농장이 미국 농업과 농촌 사회의 토대이며, 지속적인 농촌 재생에는 활력 있는 가족농 및 소규모 농장의 존재가 필수 불가결하다는 인식이 확산되고 있다. 심지어 UN에서조차 '세계 가족농의 해'(2014)를 지정할 정도로 소규모 가족농에 대한 인식이 달라지고 있음에도 불구하고, 한국의 농정은 1980년대 이후의 개방 농정의 패러다임에서 벗어나지 못하고 있다. 최근에 개별 경영체 중심의 농정에서 지역공동체 중심의 농정으로 패러다임을 바꾸겠다고 했지만, 선언적인 수준에 머물고 있을 뿐, 아직 구체적인 농정의 모습으로는 나타나고 있지 않다.

대안을 찾아서

앞서 이야기했듯이, 2014년은 UN이 정한 세계 가족농의 해였다. 세계의 농업과 먹거리를 거대 농식품 업체와 기업농이 지배하고 있는 상황에서 유엔이 2014년을 가족농의 해로 결정한 배경에는 세계적인 기아 문제에 어떻게 대처할 것인가라는 문제의식이 크게 작용했다. 2000년에 개최된 유엔의 밀레니엄 정상회담에서, 2015년까지 기아로 고통 받는 인구의 비율을 1990년과 대비해서 절반으로 감축하는 것을 목표로 정했지만, 현재로서는 이 목표를 달성하는 것이 어려워졌다. 실제로 1990년의 기아 인구는 8억 4천만 명 정도였지만, 2010년에는 10억 명 수준에 이르다 보니 2000년 정상회담에서 정한 목표를 달성하는 것은 불가능하게 되었다. 흔히 기아 인구를 줄이기 위해서는 생산의 확대가 필요하고, 생산의 확대는 대규모 투자에 기반을 둔 농업 개발 프로젝트를 통해서 쉽게 달성될 것이라고 생각해 왔다. 그러나 2007년의 식량 위기 이후에 전개된 상황들은 이러한 통념들이 신기루에 불과했다는 것을 보여 주고 있다. 이를테면 식량 위기 이후에 식량 부족 문제를 해결하기 위한 해외 식량 기지 개발이라는 미명하에 아프리카나 아시아에서 국제적인 농업 투자가 급속하게 진행되었지만, 오히려 그곳의 식량 상황은 악화되었다. 이러한 인식이 가족농을 다시 생각하게 하는 계기가 되었다고 할 수 있다. 실제로 식량농업기구(FAO)가 발표한 보고서에 따르면, 아프리카와 아시아 등 개발도상국을 대상으로 진행된 대규모 해외 농업 개발 투자는 농지 수탈의 또 다른 이름이었고, 농지 매입을 수반하는 투자는 지역사회를 송두리째 파괴해 버렸다는 것이다. 또한, 대부분의 농업 개발은 지역민들의 악화된 식량 사정을 개선하기 위한 '착한 개발'이 아니라 수출용 농작물이나 에탄올과 같은 농산 연료를 생산하기 위한 프로젝트였기 때문에, 투자 대상지의 식량 확보를 더 어렵게 만들었다. 문제는 여기에서 그치지 않는다. 대규모 프로젝트를 기반으로 전개되는 대규모 집약 농업은 땅이나 물, 생물 다양성 등 자연 자원을 크게 훼손하였다.

어려움이 클수록 이를 극복하기 위한 고민도 깊어질 수밖에 없다. 농업의 어려움이 가중되고 지역 단위에서 고민이 깊어지고 있는 상황에서, 중앙정부가 실천하기 어려운 농정 부문은 광역자치단체나 기초자치단체가 중심이 되어 지역의 농업과 농촌을 회생하기 위한 노력을 전개해야 한다. 전통적인 농정의 방향이 농업 생산성 향상과 농가 소득 증대 등 생산자 중심이었다면, 앞으로의 농정은 식품의 안전성과 농산물의 안정적인 공급, 환경 보전과 농촌 지역의 활성화 등 생산자는 물론 소비자를 포함한 전체를 농업에 대한 이해당사자로 확대해야 한다. 농정을 추진하는 데 있어서 사회적 합의의 중요성이 높아지고 있는 이유는 농업·농촌 문제가 단순히 농업 관계자뿐 아니라 국민 생활에도 커다란 영향을 미치게 되었기 때문이고, 다른 한편에서는 오늘날 경제에서 차지하는 농업의 비중이 점차 축소되고 있어 사회적 합의를 통해 지속적인 지원을 해야 하기 때문이기도 하다.

또한 우리가 염두에 두어야 할 것은 현대의 세계 농식품 체계가 가지고 있는 문제점을 일찍이 인식하고 대안 운동을 전개해 온 다양한 주체와 조직들이 존재한다는 점이다. 이러한 대안 운동은 한편에서는 기존의 패러다임에 대해서 근본적인 질문을 던지면서 새로운 양식의 삶을 주장하기도 하지만, 다른 한편에서는 자본주의 시장이라는 틀 속에서 일종의 틈새시장으로서의 대안을 이야기하기도 한다. 다양한 갈래의 대안이 제시되고 있지만, 중요한 것은 자본이라는 거대한 괴물이 농업과 먹거리를 지배하는 상황이라고 해서 대안 운동 자체가 괴물이 되는 것은 피해야 할 것이다. 이런 점에서 현 단계의 다양한 대안 운동에 대한 평가 또한 필요한 작업일 것이다.

제1부 **농업 문제의 기초 이론**

1. 자본주의와 농업 문제

농업 문제의 근원

우리가 농업 문제를 이야기할 때는 자본주의 사회를 전제로 한다. 농업이 5,000년 이상의 역사를 가지고 있음에도 불구하고 우리가 농업 문제를 불과 300여 년의 역사를 가지고 있는 자본주의를 전제로 파악하는 이유는 우리가 자본주의 사회에서 살고 있기 때문만은 아니고, 현재의 농업 문제 발생의 근원이 바로 자본주의라는 독특한 생산양식[1]에 있기 때문이다. 자본주의 사회를 형성하는 물적 토대를 만들어 준 농업이 거꾸로 자본주의 사회에서 자본의 지배를 받고, 그 결과 농촌이 피폐해지고, 농업의 주체인 농민이 쇠락하게 된 것을 명확히 하기 위

---

1. 정치경제학에서 생산양식은 생산력과 생산관계의 통일체로 파악된다. 생산력 수준에 조응하여 생산관계가 만들어지고, 생산관계는 생산력의 발전에 기여하지만, 만일 생산관계가 생산력의 발전에 조응하지 못하면, 기존의 생산양식은 새로운 생산양식으로 변화 발전한다.

해서는 구체적으로 자본과 농업의 관계를 밝혀야만 가능하다. 왜 시장에서 농민은 불리한 위치에 처하게 되는지, 왜 농민은 끊임없이 부채의 늪에서 헤어나지 못하는지, 왜 농업 생산 여건은 갈수록 악화되는지, 왜 먹거리 소비의 주체라고 하는 소비자들은 안전하지 못한 먹거리에 항상 노출되는지, 왜 지속적인 생산 증가에도 불구하고 여전히 많은 기아 인구가 존재하는지 등의 문제는 농업이 갖고 있는 자연적 조건만으로 해명할 수 없다. 과거 수천 년의 역사에서 농업이 기초 산업으로 존재했던 시기에는 발생하지 않은 문제들이 자본주의 사회에서는 왜 발생하고 심화되었는지를 보기 위해서 우리는 농업 문제를 자본과의 고리에서 찾아야 한다.

농업이 가지고 있는 특수성과 관련해서 흔히들 농업이 자연이나 환경의 지배를 많이 받는 것을 지적하는 경우도 있지만, 이는 잘못된 접근이다. 과학기술의 발전으로 자연적 제약이 과거 어느 시대보다 완화된 자본주의 사회이기 때문에 자본주의 특유의 농업 문제의 연원을 자연환경에서 찾는 것은 잘못된 것이다. 우리는 농업이 맺고 있는 관계들이 자본주의 사회에서 어떻게 변화되어 왔고, 그 특징이 무엇인지에서 문제의 연원을 찾아야 한다. 자본주의 하에서의 농업 문제의 핵심은 자본주의의 형성과 발전 속에서 자본의 운동법칙이 농업에 어떻게 관철되는가에 있다. 더욱이 자본주의 사회에서는 토지 소유로 인해서 자본의 운동이 제약을 받는다. 자본주의의 형성과 발전에도 불구하여 여전히 소토지 소유·소경영이 광범위하게 존재한다.

농업경제학은 자본주의 사회를 전제로 농업의 경제적 운동법칙을 규명하는 데 그 목적이 있다. 농업경제학은 농산물을 생산하는 과정에서의 사람들의 사회적 관계(생산관계) 및 교환·분배 관계 등을 연구한다. 그런데 자본주의 일반을 대상으로 하는 일반 이론경제학과 별도로 농업경제학이라는 특수한 경제학을 필요로 하는 이유는 단지 농업이라는 자본주의 경제의 한 생산 부문에 관해 상세한 연구를 하기 위한 것만은 아니다. 농업에서는 경제학의 일반 이론이나 경제법칙과는 모순되어 보이는 현상들이 있기 때문에, 이러한 현상들을 자본주의 경제의 일반 법칙을 기초로 해서 해명하여야 할 필요가 있다.

자본주의 경제 아래서의 농업경제학의 대상은 첫째로 농업에서의 자본주의적인 생산·교환·분배 관계이다. 이는 공업 부문에서와 마찬가지로, 농업 부문에서도 자본주의적 경제법칙이 관철되고 있기 때문이다. 예컨대, 농업자본의 증식 과정이라든지 축적 과정을 연구하고, 이를 통해 농업 부문의 특수성을 밝히는 일이다.

둘째로 농업 발전의 특수성으로 인해서 나타나는 소경영의 문제도 농업경제학의 대상이 된다. 이를 위해서는 자본주의 형성의 역사적 과정을 통해서 분할지 소유, 농민층의 분해, 자본주의적 농업의 형성 과정을 살펴볼 필요가 있다.

셋째로 자본주의 하에서 나타나는 농업경제의 일반적 특징뿐만 아니라, 자본주의가 독점 단계를 거치면서 나타난 농업 발전의 왜곡과 농가 경제의 특수성을 분석해야 한다. 특히 신자유주의 세계화가 확산되면서 초국적 자본의 농업 지배가 강화되고 있는 상황에서 심각해진 농업·농촌 문제를 명확히 해야 한다. 나아가서 농업과 먹거리를 둘러싼 당면 과제, 안전한 먹거리의 안정적 확보 등에 대한 고민도 농업경제학의 대상이라고 할 수 있다.

자본주의의 형성과 농업

오늘날 우리가 살고 있는 자본주의 사회는 시장경제로도 일컬어진다. 과거 사회와는 달리 거의 모든 생산물은 시장에서 판매하기 위한 상품으로 생산된다. 자본주의 사회의 물질적 부는 생산되는 상품의 양으로 평가된다. 자본주의 사회에서는 생산물만이 상품으로 되는 것이 아니라, 노동력도 상품으로 거래된다. 자본주의 사회는 이처럼 '상품에 의한 상품생산'을 특징으로 한다. 자본주의 사회 이전의 경제주체들은 자신이 필요로 하는 생산물을 시장에서의 거래를 통해서 얻을 수 있었지만, 시장에 전적으로 의존하지는 않았다. 자급적·완결적 체계의 생산이 공동체를 중심으로 이루어졌기 때문에, 토지와 같은 생산수단과 노동은 서로 묶여 있었다. 그러나 자본주의 사회는 화폐나 생산수단을 자본으로 축적한 소수의 자본가와 생산수단을 상실하고 노동력을 자본가에게 판매하지 않고서는 살아갈 수 없는 대다수의 임금노동자의 존재를 전제로 한다. 즉, 자본주의가 성립하기 위해서는 "이중의 의미에서 자유로운 임금노동자의 창출"이라는 과정을 거쳐야 했다. 역사적으로 이러한 과정을 '본원적 축적 과정'이라고 한다. 자본주의가 역사상 최초로 성립한 영국의 경우에는 인클로저 운동이 그 대표적인 예라고 할 수 있다. 지주계급이 자신의 땅을 경작하던 농민들을 몰아낸 다음 그 땅에 양을 키우고 또 공동체가 함께 사용하던 공유지를 사유화했다. 경작지에서 쫓겨난 농민들은 역사적으로 지난한 과정을 거치면서 도시의 노동자로 등장하였다.[2] 그리고 한편에서는 생산수단을 집적한 사람들이 자본가로 등장했다. 그래서 자본주의 사회의 기본적인 생산관계를 자본-임노동 관계라고 한다.

흔히 자본주의 사회의 형성을 도시에서의 상공업의 발전에서 찾고 있지만, 자본주의적 생산관계의 창출은 농촌 부분에서 먼저 이루어졌다. 농촌 지역의 가내공업에서 수공업이 독립해 갔고, 이에 따라 생산된 농산물 가운데 시장에서 거래되는 비중이 높아졌다. 그리고 시장 내에서 농민들 간의 경쟁이 심화되었다. 한편, 농업 내부의 생산력의 발전도 자본주의의 형성에 크게 기여했다. 산업혁명은 그 이전에 농업혁명이 있었기에 가능했다. 농업 부문의 생산력 발전을 바탕으로 비농업 부문의 인구

---

2. 우리나라의 경우, 자본의 본원적 축적의 가장 대표적인 예는 일제가 1910년부터 1919년까지 실시한 식민지 조선의 토지조사사업을 들 수 있다. 이른바 근대적 토지소유권의 확립이라는 미명하에 이루어진 토지조사사업은 실제로는 식민지 토지 수탈 사업이었고, 이에 따라 이전에 안정적으로 토지를 경작했던 소작농들조차 토지에서 쫓겨났다. 그리고 토지 수탈은 본원적 축적기 이후 21세기에도 끊임없이 이루어지고 있다.

를 부양할 수 있었을 뿐만 아니라, 농업 부문의 생산물을 원재료로 하는 공업 부문도 성립할 수 있었다. 이처럼 수공업 단계를 벗어나서 기계제 대공업으로의 이행이 가능했던 물적 토대의 상당 부분은 농업 부문의 생산력 발전에 근거했다. 또한, 이에 따른 농업과 공업 간의 사회적 분업의 강화와 대공업의 출현은 사회 전반을 자본주의적 경제로 이행시켰다. 그리고 농촌에서도 공업 부문에서 만들어진 생산물의 사용이 확대되었고, 농업 생산에 '공업의 의식적인 적용'이 이루어지게 되었다. 또한 농업에 필요한 농자재를 구입하기 위해서는 화폐를 획득해야 했는데, 이 때문에 더 많은 농산물이 시장에서 상품으로 거래될 수밖에 없었다. 이런 과정을 거치면서 농업은 자본의 영향 하에 놓이게 되었다.

농업의 상품생산 발전과 사회적 분업의 확대

상품생산이란 생산자가 시장에서 교환하기 위해 생산물을 생산하는 행위를 말한다. 자본주의 사회에서 생산물의 대부분은 시장에서 팔기 위한 상품으로 만들어진다. 이 상품생산이 발전하기 위해서는 생산수단의 사적 소유와 사회적 분업을 전제로 한다. 사회적 분업은 농업으로부터 공업이 분리되고, 이어서 상업이 분리될 뿐만 아니라, 각각의 산업 내부에서도 보다 세분화·전문화·특화하는 방향으로 진전된다. 그리고 이러한 사회적 분업은 직접 생산자(농민)가 생산수단, 특히 토지를 상실함으로써 노동력이 상품으로 되는 자본주의 사회에서 전면적으로 개화되고 완성된다. 자본주의 사회의 상품생산은 자신의 생산수단을 사용하여 자신의 노동으로 상품을 생산하는 단순 상품생산(소상품생산)으로부터 자본주의적 상품생산으로 발전하여 절정기를 맞이한다. 한편, 이 단계에서는 생산의 무정부성도 한층 농후하게 된다.[3] 자본주의 사회 이전에도 상품생산은 존재했지만, 이때의 상품생산은 어디까지나 자연경제 = 자급자족적 경제가 지배적인 생산형태라는 틀 속에서 존재했고, 이 때문에 농민이나 수공업자에 의한 한정된 상품생산에 불과했다.

그러나 자본의 본원적 축적 과정을 통하여 만들어진 임노동자는 농산물 수요를 증대시켜 농업에서 상품생산의 발전을 촉진시켰다. 또한 농촌에서의 자급자족적인 부업으로서의 가내공업의 파괴는 농민을 화폐경제로 편입시켜 상품생산 안으로 끌어들였다. 요약하면, 공업의 발전과 도시인구의 증대, 이에 따른 농촌 시장과 농산물 시장의 확대를 배경으로 자연경제적인 자급자족 중심의 농업경영은 해체되고, 기본적으로는 소상품생산의 경영으로서 타인에게 판매하기 위한 농업 생산 = 상품생산 농업이 자본주의의 형성 및 발전과 함께 이루어졌다. 이러한 과정은 도시와 농촌에서 사회적 분업이 심화되는 과정이기도

---

3. 자본주의 사회의 상품생산은 개별적으로는 계획적으로 이루어지지만, 시장에서의 가격 결정은 사후적으로 이루어질 수밖에 없다. 이를 경제학에서는 '사적 소유와 사회적 생산' 사이의 모순이라고 하고, 이로 인해 자본주의 사회의 상품생산은 무정부적 성격을 갖는다고 한다('생산의 무정부성').

했고, 이로 인해 농업 부문에 있어서도 농업의 자본주의화가 서서히 준비되었다.

농업의 자본주의화

농업의 자본주의화는 크게 두 가지 차원에서 이야기할 수 있다. 하나는 공업 부문에서와 마찬가지로 균질적 성격을 가지고 있었던 소농(자영농)들이 시장에서의 경쟁을 통해서 토지 소유자인 지주, 농업 자본가인 차지농업자, 그리고 무산계급인 농업 노동자로 분화되어 이른바 삼극 구조(triad)가 확립된 체계를 말한다. 그러나 이러한 삼극 구조는 농업의 자본주의화가 상당 정도 진행된 농업 국가, 예를 들면 미국이나 영국 등에서도 일반적이지 않다. 오히려 영농 규모는 우리나라에 비해서 훨씬 큼에도 불구하고, 스스로가 지주, 차지농업자이면서 가족 노동력을 중심에 두고 영농을 하는 농민들이 다수를 차지하고 있다. 이런 점에서 농업의 자본주의화는 자본주의적 생산양식의 지배를 받는 농업이라는 형태로 보다 폭넓게 파악해야 한다.

농업의 자본주의화가 진행되는 과정에서, 과거에 균질적이었던 소농들은 시장 경쟁에서 유리한 판매 조건을 확보하기 위해 합리화나 생산성의 향상이 필요했고, 이에 대응할 수 있는 농민과 그렇지 못한 농민으로 분화되었다.[4] 그런데 많은 자본주의

4. 엥겔스는 소농을 "자기 자신의 가족과 함께 경작할 수 없을 정도로 크지 않으면서, 가족을 부양할 수 없을 정도로 적지 않은 토지의 소유자'로 정의했는

나라에서 보이는 바와 같이, 농민층의 분해는 단순한 과정을 거치는 것이 아니라 복잡하고 다양한 형태를 띠는 것이 특징이다. 예를 들면, 자본주의적 생산양식이 확립되어 있는 나라에서도 자본주의적인 농업경영이 전면적으로 이루어지는 것은 아니며, 여전히 농업 생산에 참여하고 있는 다수는 소농이다. 일부에서는 한국 농업을 상업농이라고 하여 자본주의적 또는 기업적 농업과 같은 개념으로 파악하는 경우도 있지만, 이는 잘못된 것이다. 농업에 자본주의가 침투하면서 자급적인 소농도 필요한 화폐를 조달하기 위해 생산물을 판매하고, 판매량이 많아지면 외견상으로는 기업적 농업과 비슷한 점이 있기는 하지만, 본질은 전혀 그렇지 않다.

기업적 농업은 타인의 노동을 고용해서 자기의 땅 또는 타인의 땅을 임차하여 이윤을 목적으로 농장을 경영하는 경영형태를 말한다. 즉, 농업이 자본제적으로 편성되어 기업적으로 경영된다고 하는 말은 종래의 가족 단위의 자영농민이 농업 노동자, 차지농업자(자본가), 지주 등 세 가지 계급으로 갈라지는 이른바 '농민층의 분해'를 거쳐서, 차지농업자가 지주로부터 농지를 임차하고 농업 노동자를 고용해 이윤을 목적으로 농업을 경영하여 노동자에게는 임금을, 지주에게는 지대를 지불하고, 차지농업자 자신은 이윤을 취득하는 경제적 관계로 편성되는 것을 말한다. 따라서 시장에 판매하는 물량이 많다고 해서, 이

데, 이들 소농은 끊임없이 자본가계급과 노동자계급이라는 두 개의 계급으로 분화되는 과정을 거친다고 보았다.

의 판매를 통해서 이윤을 얻고자 한다고 해서 자영농을 상업농 혹은 기업적 농업으로 보는 것은 초역사적인 이해라고 할 수 있다.

현대 자본주의와 농민층의 분해

전통적인 정치경제학에 따르면, 시장을 매개로 한 경쟁이 격화되면서 균질적이었던 중간층의 농민이 감소하는 대신 상승하는 소수의 부유한 농민과 하강하는 대다수의 가난한 농민으로 계층 분화하고, 마침내 자본주의 사회의 기본 계급인 자본가계급과 노동자계급이 만들어진다고 보고 있다. 즉, 농민층의 분해를 통해서 농민층이 농촌 자본가·부농층과 농촌 무산계급·빈농층이라는 양극의 군을 발전시키면서 2가지 새로운 형태의 농촌 주민이 형성되는 것으로 파악하고 있다. 이러한 농민층의 분해를 통하여 농촌에서도 임노동자계급이 형성되고, 이들을 고용하는 자본가적인 농업경영이 형성되어 농업에서의 상품생산이 진전되며, 이로부터 자본주의적 상품생산이 확대된다고 보고 있다.

그러나 소상품 생산자의 양극 분해는 공업 부문에서는 확실하게 진행되었지만, 농업의 경우에는 그 속도가 매우 늦게 나타났고, 나라에 따라서는 오히려 중간층의 비중이 늘어나는 현상도 나타났다. 그 이유는 여러 가지가 있지만, 우선 지적할 수 있는 것은 농업 생산 자체가 가지고 있는 특징에 원인이 있다. 우

선 농업의 경우 자본의 회전 기간이 길고, 이에 따라 자본 축적
의 속도도 늦다. 또한 공업과 달리 농업은 기계화가 이루어지더
라도 영농의 연속선상에서 작동하기 때문에 그 효율이 떨어질
수밖에 없고, 토지라는 기본적 생산수단이 가지고 있는 특성,
특히 토지 소유의 제한으로 인해 경작면적의 확대가 방해를 받
기 때문에 수확체감의 법칙이 작동할 가능성이 크다. 그리고 공
업 부문에서와 같은 '규모의 경제'가 쉽게 발휘되지 못한다는
특성을 가지고 있다. 또한, 이 책 제1부 5장에서 살펴보겠지만,
살아 있는 생명체를 생산하는 농업의 경우에는 공업과 달리 생
산기간을 인위적으로 축소하는 데 한계가 있고, 생산기간과 노
동시간의 불일치라는 장애물로 인해서 자본의 침투를 어렵게
하는 특징을 가지고 있다.

한편, 한 사회에서 저수지 역할(먹거리의 안정적인 공급, 환경 보
전, 비농업 부문에서 필요로 하는 자원의 공급 등)을 수행해 온 농업
이 급속하게 몰락할 경우 사회 전반의 문제로 확산될 가능성이
크다는 인식이 소농 보호 정책을 취하지 않을 수 없게 하고, 또
한 농업이 가지고 있는 다원적 기능 및 비교역적 성격, 외부 경
제성(externality)으로 인해서 소농 보호라는 일련의 정책이 추진
된 것도 농민층 분해를 억제한 측면이 있다. 농업의 다원적 기
능(multi-functionality of agriculture)이란 농업이 먹거리의 생산
과 함께 사회적 안정, 자연 경관 보전, 대기 정화, 종 다양성 유
지와 같은 비화폐적 생산도 함께 수행하고 있는 것을 의미한다.
비교역적 성격(non-trade concerns)도 유사한 의미를 갖고 있는

데, 특히 시장을 통한 거래에서 농업 생산자에게 지불되는 화폐는 그가 실제로 사회적으로 실천한 역할에 비해서 부족하기 때문에, 농업에 대한 보호가 필요하다는 의미도 담고 있다. 이는 외부 경제성과 유사한 개념이다. 이런 이유로 1930년대 미국의 뉴딜 정책 이후 대부분의 선진 자본주의 국가들은 부분적으로 소농 보호 정책을 농업정책의 하나로 유지해 왔다. 그러나 1980년대 이후 신자유주의 경제정책이 전면화 되고 시장 지상주의가 자리를 잡으면서 과거와 같은 소농 보호 정책은 상당 부분 후퇴하였다. 그럼에도 불구하고, 소농에 대한 가치를 새롭게 인식하는 움직임도 존재하고 있다. 1997년 미국 클린턴 정부의 '소농전국위원회(National Committee on Small Farms)'는 「지금 행동할 때(A time to Act)」라는 제목의 보고서를 통해서 가족농 및 소규모 농장이 미국 농업과 농촌 사회의 토대이며, 지속적인 농촌 재생에는 활력 있는 가족농 및 소규모 농장의 존재가 필수 불가결하다고 지적했다. 또한 소수의 대규모 농장과 농업 관련 기업으로 농업이 집중되는 문제를 해결하기 위해서 농업 재정지출을 가족농 및 소규모 농장에 대하여 우선적으로 지원해야 한다고 제안하고 있다. 또한, 미국의 농산물 수출 확대 정책으로 인한 이익의 향유자는 대규모 기업 축산 농장과 초국적 농기업들이었고, 이런 가운데 미국의 가족농의 급격한 해체가 진전되었기 때문에 미국의 농업정책을 시장 원리형이 아니라 농민 중심(farmer oriented)의 농정으로 전환할 필요가 있다는 보고서도 다수 제출되었다.

소농이나 가족농을 명확하게 정의하는 것은 쉬운 일이 아니다. 이 두 개념 모두 상대적인 것이기 때문이다. 경작 규모나 판매액을 기준으로 소농이나 가족농을 정의할 수도 있지만, 그럴 경우 논란의 여지도 많을 뿐만 아니라, 그렇게 한다고 해서 과학적 분석에 그다지 도움이 되지 않기 때문이다. 소농에 대한 초기의 개념은 엥겔스에 의해서 정의되긴 했지만(34쪽 주 4 참조), 이 또한 매우 추상적인 수준의 정의였다. 이는 사회과학 특유의 상대성이 반영된 결과라고도 할 수 있다.

FAO에서는 소규모 영농을 ① 주로 가족노동에 의해 경영이 이루어지며, ② 보유하고 있는 자원(특히 토지)에 한계가 있고, 지속가능한 생활을 유지하기 위해서는 높은 수준의 총요소 생산성이 필요하며, ③ 농외의 활동으로부터 얻는 수입에 의존하는 비율이 높고, 이것이 경영의 안정화에 기여하고 있으며, ④ 생산·소비 양면의 경제단위이면서 농업 노동력의 공급원이라는 특징을 갖고 있는 것으로 파악하고 있다.

표 1-1. 소농, 가족농, 소규모 경영

문제는 자본주의 사회에서 소경영은 끊임없이 이어지는 자본의 공격으로부터 자유롭지 못하기 때문에 이에 대한 대항력을 확보하는 것이 필요하다는 점이다. 개별화되고 분산된 형태의 소경영으로는 이에 대항할 수 없기 때문에 공동체 단위, 혹은 마을 단위의 조직화, 소비자와의 연대 강화 등이 필요하다. 성공적인 대안 운동을 이끌어 낸 사례들이 이를 보여 주고 있다.

2. 자본주의적 농업의 기본 성격

자본주의적 농업의 두 가지 차원

자본주의적 농업을 한마디로 표현하면, 자본에 종속된, 자본의 지배를 받는 농업이라고 할 수 있다. 자본주의의 형성·발전에 따라 농업은 자본의 지배를 받게 되고, 이에 따라 농업 생산의 많은 부분이 시장을 위한 생산으로 이루어진다. 그리고 농업 내에서도 자본-임노동 관계가 형성·확대되어 더 많은 이윤의 획득이 농업 생산의 목적으로 된다. 그리고 개별 단위에서는 생산이 조직적으로 이루어짐에도 불구하고, 생산물에 대한 사회적 평가는 사후적으로 시장의 수요와 공급에 의해서 이루어진다.

앞 장에서 언급한 바와 같이, 농업의 자본주의화는 크게 두 가지 차원에서 설명할 수 있다. 하나는 농업 내에서 '자본-임노동' 관계가 명확하게 성립해서 농업을 둘러싼 생산관계가 토지 소유자(지주)-차지농업자(자본가)-농업 노동자를 기본으로 하는 경우로, 이를 '좁은 의미'의 자본주의적 농업 또는 농업의 자본주의화라고 할 수 있다. 다른 하나는 농업 내에서 '자본-임노동' 관계가 명확하게 성립해 있지는 않지만 가공 및 유통을 포함한 농업 생산 전반이 자본의 지배를 받는 경우로서, 이를 '넓은 의미'의 자본주의적 농업 또는 농업의 자본주의화라고 할 수 있다.

농업의 자본주의화가 이루어지고 더 많은 이윤을 얻기 위한 경쟁이 치열해지면서, 농업의 생산력 수준은 이전과는 비교할 수 없을 정도로 높아졌다. 또한 과학기술의 적용과 재배나 농경 방식의 변화와 함께 생산수단의 고도화, 노동 과정에서의 협업이나 분업의 도입 등으로, 과거에 개별적, 고립적으로 생산이 이루어졌던 것에 비해서, 훨씬 많은 수확량을 얻을 수 있었다. 이로 인해 막대한 인구를 부양할 수 있게 되었지만, 다른 한편에서는 많은 과정이 이윤의 원리에 종속되었고, 이러한 과정에서 수많은 농민의 몰락을 가져왔다. 자본주의적 생산 능력과 자본주의가 가져온 삶의 질 사이에 커다란 격차가 발생하게 되었다. 생산이 이윤으로부터 분리될 수 없는 자본주의 특유의 속성으로 인해 토지 이용도 무질서하게 되었고, 환경 파괴도 심화되었고, 먹거리의 안전도 심각하게 훼손되었다. 과거에 인간 생활 자체가 의존할 수밖에 없었던 자연과의 상호작용은 농업의 자본주의화로 파괴되었고, 인간의 생존에 가장 필수적인 기초가 되는 농업조차 이윤의 요구에 종속되었다.

농업 생산력의 자본주의적 성격

자본의 목적은 이윤 추구에 있다. 자본이 이윤을 창출해 내기 위해서는 자신이 속한 생산 부문의 사회적·평균적 수준보다도 앞선 기술과 상품 생산방법을 활용해서 자신이 만든 상품의 개별 가치를 낮추어야 한다.[1] 그렇게 함으로써 동종 상품의 '사회적 가치'와 자신이 생산한 상품의 '개별적 가치'의 차이에 해당하는 '특별잉여가치'를 얻을 수 있다. 이를 위해서 개별 자본은 새로운 기술과 생산방법을 경쟁적으로 도입하게 된다. 이러한 '경쟁의 강제 법칙'에 따라 노동의 사회적 생산력도 발전하게 된다.[2] 농업 부문에서도 노동의 사회적 생산력은 다양한 방법에 의해서 발전하게 되는데, 예를 들면 농기계의 발명과 개량, 화학비료의 발명과 개량, 품종개량, 토지개량 등을 통해서 노동의 사회적 생산력이 발전한다. 또한 협업이나 분업과 같은 새로운 노동 양식의 채용을 통해서도, 새로운 농법의 발명이나 개량에 의해서도 노동의 사회적 생산력은 발전한다. 이러한 방식에 힘입어 농업에 있어서 노동의 사회적 생산력이 크게 향상되었고, 이는 자본주의 하에서 농업이 이루어 낸 성과라고도 할 수 있다. 그러나 "농업에서도 공업에서와 마찬가지로 생산과정의 자본주

1. 상품의 가치는 궁극적으로 생산에 필요한 노동시간에 의해 결정된다. 따라서 노동시간을 단축하기 위해서 노동을 기계로 대체하고, 이를 통해 생산물의 가치를 낮춘다.
2. 노동의 사회적 생산력의 발전이란 경쟁의 강제 법칙에 따른 개별적인 생산력의 발전이 사회 전체의 생산력의 발전으로 연결된다는 것을 의미한다.

의적 변혁은 동시에 생산자들의 순교사(殉教史)"이고, "노동과정의 사회적 결합은 노동자의 개인적인 활기, 자유 및 자립성에 대한 조직적 압박"으로 나타난다(마르크스, 『자본론 1권』, 이하 K I, 635쪽).

한편, 농업은 자연발생적 생산력에도 크게 영향을 받는 특성을 가지고 있다. 토지의 자연적인 비옥도가 이에 해당한다. 자연적 비옥도라는 자연발생적 생산력은 식물의 성장에 필요한 영양소를 무상으로 공급하는 자연력으로, 노동을 보다 생산적으로 만든다. 토지의 자연적 비옥도가 높으면 생산에 참여하는 노동의 생산력도 높아지게 된다. 특히 토지의 자연적 비옥도는 토지의 객체적 속성이고, 이는 토지의 소유를 전제로 하여 독점적으로 점유·이용된다. 토지를 불가결한 생산수단으로 하는 농업은 토지의 살아 있는 자연력을 독점적으로 이용한다는 점에서 공업의 경우와 큰 차이가 있다. 또한 자연적 비옥도라는 자연력은 자본에 있어서는 무상의 자연력이므로, 자본은 이윤 추구의 수단으로서 이 살아 있는 자연력을 가능한 한 이용하려고 한다. 그에 따라 노동의 자연발생적 생산력도 발전한다.

그러나 한편으로 자연발생적 생산력의 파괴도 동시에 진행된다. 식물이 생육하는 데에는 태양에너지와 물, 식물 영양소가 필요하며, 식물은 뿌리를 통하여 필요로 하는 영양소를 흡수한다. 식물은 이들 영양소를 흡수하여 성장하지만, 이것은 토양 중에 존재하는 식물 영양소를 토양으로부터 빼앗아 가는 것을 의미한다. 그러나 이들 영양소는 토양 중에 무한히 존재하는 것이 아니다. 따라서 식물 영양소를 토양으로부터 빼앗아 가기만 하면, 토양 중의 식물 영양소는 감소해서 결국은 고갈된다. 그 결과, 유기물이 고갈된 토양은 살아 있는 자연력이 아닌 죽은 토지(불모의 토지)가 된다. 화학비료나 퇴비는 식물이 빼앗은 식물 영양소의 일부를 보급해 주는 것이고, 기타 식물 영양소는 확실하게 감소되어 간다. 이처럼 농업에서 토양으로부터 빼앗아 간 식물 영양소는 완벽하게 다시 토양으로 반환되는 것은 아니다. 또한, 농업에서 수확을 증대하기 위한 모든 기술의 진보는 동시에 토양으로부터 식물 영양소를 빼앗아 가기 위한 기술의 진보이기도 하다. 결국 깊게 가는 것이 가능한 농업기계, 토지개량, 화학비료, 농약, 품종개량 등은 모두 토지로부터 영양소를 보다 많이 빼앗기 위한 기술이기도 하다. 자본은 이윤 추구의 수단으로서 토지의 살아 있는 자연력인 자연적 비옥도 = 지력을 철저하게 이용한다. 토지의 자연적 비옥도 문제를 화학비료 등에 의해 극복하면서도, 다른 한편으로는 토지의 살아 있는 자연력인 자연적 비옥도를 황폐화시킨다.

이런 점에서 "자본주의적 농업의 진보는 그 어느 것이나 토지를 약탈하는 기술상의 진보이며, 일정한 기간에 토지의 비옥도를 높이는 진보는 그 어느 것이나 이 비옥도의 항구적 원천을 파괴하는 진보이다. 한 나라가 대공업을 토대로 하여 발전하면 할수록 이러한 토지의 파괴과정은 보다 더 급속하다"(K I, 636쪽).

3. 토지 소유와 지대 형성의 논리

왜 지대를 논하는가?

생산과정에 따라 토지가 수행하는 역할은 다르다. 상공업에서 토지는 공장이나 사무실, 창고 등이 들어서는 장소로 일종의 적재 수단으로 기능한다. 농업에서는 이와 달리 단순한 적재 공간이 아니라 작물의 성장에 필요한 수분과 양분을 공급하는 토양이기 때문에, 토지가 직접적인 생산수단으로 기능한다. 더욱이 토지는 기계와 같은 일반적인 생산수단과는 달리 마음대로 만들어 내는 것이 불가능하다는 점에서 독점되는 자연력이라고 할 수 있다.

자본주의 사회에서 농업에 대한 자본 투하는 토지 소유의 독점이라는 독특한 장벽에 부딪히게 되고, 이것이 농업 생산이 갖는 특징과 함께 농업에 대하여 규정적인 작용을 하게 된다. 차지농업자가 토지에 자본을 투하하기 위해서는 토지 소유자에게 지대를 납부하기로 약속하고 토지의 이용권을 획득해야 한다. 이로 인해 농산물 가격의 형성이 영향을 받기 때문에, 우리는 지대가 형성되는 메커니즘을 이해해야 한다.

한편, 지대의 본질을 파악함으로써, 지대는 토지의 자연적 특수성에 의해서 발생하는 것이 아니라 토지 소유라는 사회적 관계를 통해서 실현된다는 점이 명확하게 된다. 아울러 초과이윤으로서의 지대가 성립되는 과정을 통해서 농산물 가격 형성의 특수성도 밝혀지게 된다. 다만, 이 논의에서는 농업 생산이 토지 소유자, 차지농업자(자본가), 농업 노동자라는 삼극 구조에서 이루어지는 순수한 형태(협의의 자본주의적 농업)를 전제하고 있다는 점이다. 이처럼 현실과 다소 동떨어진 삼극 구조를 전제로 하는 것은 자본주의적 농업 생산이 갖고 있는 특징을 보다 명확히 파악하기 위해서이다.

지대의 본질을 명확히 파악하기 위해서는 재배되는 작물 간의 차이가 없어야 하므로 하나의 작물을 재배하는 경우로 한정하여 논의하게 된다. 왜냐하면 작물이 다르게 되면 지대의 운동과 지대의 수준도 다르게 되고, 동시에 지대 간의 대항 관계가 발생하여 지대의 발생 메커니즘을 명확하게 파악하는 것이 불가능하기 때문이다. 요약하면, 현실의 지대를 실증적으로 연구하는 경우에는 서로 다른 토지 이용 상호 간의 관계를 볼 필요가 있지만, 이론적인 차원에서는 그러한 관계를 사상하고, 하나의 지대 형태, 그것도 가장 광범하게 존재하면서 가장 규정적인 지대 형태 — 예를 들면, 특정 곡물에서의 지대 — 에 한정하여 살펴볼 필요가 있다.

지대와 이자

토지를 개량하기 위해서 토지에 자본을 투하하는 경우 자본은 토지와 합쳐질 수 있고, 이 경우 자본은 토지와 분리되지 않고 토지에 고정된다. 이로 인해서 지대가 토지 자체로부터 나온다는 잘못된 인식도 나오고, 지대를 토지 자본 또는 토지 가격에 대한 이자로 혼동하기도 한다.

첫째, 지대를 토지 자본의 이자와 혼동하는 잘못이다. 토지에 투하된 자본 혹은 토지에 결합된 자본인 토지 자본은 관개나 배수 설비, 농업용 건물 등과 같이 토지에 합체되어 고정된 자본이다. 이 자본 부분은 투하 비용에 대한 이자를 요구하지만, 실제의 지불은 지대와 함께 이루어져 사실상 지대의 일부분을 구성하게 된다. 그러나 토지 자본은 어디까지나 고정자본에 속하는 것이므로 본래적 의미의 지대와는 이론적으로 구별되어야 할 부분이다.[1]

둘째, 지대를 지가의 이자로 보는 잘못이다. 토지는 공기와 마찬가지로 노동 생산물이 아니기 때문에 가치법칙으로 규정

---

1. 토지 자본은 임차 기간이 경과하면 토지 소유자에게 무상으로 인도되므로 차지농업자는 토지의 지력을 장기적으로 향상시키는 자본 투하에 소극적일 수밖에 없다. 결국 토지 소유는 합리적 농업의 발전을 저해하는 요인으로 나타나게 된다.

된 합리적인 가치나 그것에 근거한 가격을 갖는 것은 아니다. 그럼에도 불구하고 실제로 지가가 존재하는 이유는, 공기와 달리 토지는 독점하여 양도하는 것이 가능한 대상이기 때문이다. 동시에 토지 소유의 독점은 가치법칙과 무관하게 존재하는 것은 아니다. 자본주의 사회에서 토지 소유가 실현하는 경제적 형태를 지대라고 한다. 이 경우 지대와 토지 가격 사이의 관계는 이자와 대부자본의 관계와 유사하게 파악할 수 있다. 지가는 지대를 이자율로 할인한, 즉 '지가 = 지대 ÷ 이자율'이라는 관계가 성립하게 된다(지대의 자본 환원). 대부자본과 이자율의 형성이라는 사회적 관계가 이미 배후에 존재하고 있기 때문에, 지대를 낳는 토지도 가격을 가지게 되는 것이다. 따라서 지대와 지가에서 규정적인 것은 지대이지 지가가 아니다. 이를 달리 설명하면 지가가 높아서 지대가 높은 것이 아니라, 지대를 많이 받을 수 있어서 지가가 높은 것이다. 따라서 토지 가격을 전제로 하여, 지대를 토지 가격에 대한 이자로 파악하는 것은 전도된 현상 인식이라고 할 수 있다.

토지 소유와 지대

지대는 토지 소유를 전제로 하며, "토지 소유가 경제적으로 실현되고 이용되는 형태"이다. 그런데 토지 소유는 '어떤 사람이 일체의 타인을 배제해서 지구의 일정 부분을 자신의 개인적 의지의 전유 영역으로서 지배하는 독점'을 전제하는 것이므로,

토지 소유는 토지에 대한 인간의 관계가 아니라, 토지를 둘러싼 인간과 인간 사이의 관계를 표현한다.

그럼 지대는 토지 그 자체로부터 나오는 것인가? 토지는 중요한 생산수단이기는 하지만, 그 자체가 생산물을 낳고 상품 가치를 형성하는 것은 아니다. 만일 토지 자체가 생산물을 낳는다면, 그것은 농산물의 가격이 상대적으로 낮은 것을 설명하는 것이지, 농산물 가격이 그 속에 지대를 포함할 정도로 높은 것을 설명해 주지는 못한다. 따라서 지대를 토지 자체의 생산력이 낮은 것이라고는 할 수 없다. 역사적으로 지대가 존재하기 이전의 사회(예를 들면, 원시 공산 사회나 노예제사회)에서도 토지는 농업 생산에서 중요한 역할을 해 왔다. 그러므로 지대는 토지 자체에서 생기는 것이 아니라, 비옥한 토지가 제한되어 있고, 더구나 그것이 토지의 소유자에 의해 독점되고 있기 때문에 생기는 것이다.

토지는 하나의 자연력으로서 그 자체로 초과이윤을 형성시키는 것이 아니고, 그것을 독점적·배타적으로 이용하는 자본이 초과이윤을 얻을 수 있도록 하는 자연적 기초일 뿐이다. 상대적으로 비옥한 토지는 같은 자본과 노동을 투하하더라도 더 많은 수확을 거둘 수 있고, 이러한 비옥한 토지는 제한되어 있기 때문에, 이것을 독점적으로 경작하는 차지농업자는 초과이윤을 만들어 내는 것이 가능하고, 이 초과이윤은 토지를 독점적·배타적으로 소유하고 있는 토지 소유자의 몫으로 전화되어 지대로 된다. 따라서 토지 소유는 이러한 초과이윤 창조의 원인이 아니고, 이 초과이윤을 지대 형태로 전환시키는 원인이다.

지대 형성의 원리 — 차액지대 일반

농업에서 차지농업자는 공업에서와 마찬가지로 평균이윤을 얻을 수 있어야 자본을 투하한다. 농업 생산에서 상대적으로 비옥한 토지를 이용하게 되면 공업에서 유리한 조건에서 생산하는 것과 같이 초과이윤을 얻을 수 있다. 다만, 공업 부문에서는 끊임없는 시장 경쟁으로 인해서 개별 자본이 유리한 생산조건을 지속적으로 확보하는 것은 불가능하다. 현재의 신기술도 미래에는 낡은 것으로 되기 때문이다. 그러나 농업의 경우에는 토지가 기본적인 생산수단이며, 이 토지는 인간이 창조할 수도 없고, 그 면적은 제한적이며, 토지의 비옥도에는 차이가 존재한다. 이런 점에서 농업에서는 초과이윤이 장기간 존속될 수 있고, 이것이 지주에게 지대라는 형태로 지불되기 때문에, 이를 '지대의 고정'이라고 말한다.

지대는 초과이윤이 획득되는 원인의 차이에 의해서 차액지대와 절대지대로 나뉘는데, 우선 차액지대가 형성되는 원리에 대하여 살펴보도록 하자. 시장에서 형성되는 가격, 즉 시장가격은 시장의 수요와 공급에 의해서 결정되지만, 이 시장가격의 배후에는 생산가격(비용가격 + 평균이윤)이 있다. 그리고 이 생산가격은, 특히 공업의 경우에는, 평균적 수준의 개별적 생산가격이 사회적 생산가격이 된다.

마르크스는 차액지대의 일반적 개념을 낙류의 예를 통해서 설명하고 있다. 즉, 대부분의 공장이 증기기관을 이용하고, 소수의 공장이 낙류라고 하는 예외적인 천혜의 혜택을 받으면서 생산하는 경우를 상정하고 있다. 증기기관을 이용하는 대부분의 공장의 생산비(투하자본 또는 비용가격)는 낙류를 이용하는 공장의 생산비보다 높다. 그 결과, 생산비와 평균이윤을 더한 각각의 개별적 생산가격은 달라진다(즉, 증기기관을 이용하여 생산한 경우의 개별적 생산가격이 낙류를 이용하여 생산한 경우의 개별적 생산가격보다 높다). 이 경우, 사회적으로 평균적인 생산력 수준에 해당하는 증기기관을 이용한 생산물의 개별적 생산가격이 사회적 생산가격으로 되고, 낙류를 이용하여 생산한 생산물도 이 가격에 판매하게 된다. 그리고 여기에서 발생하는 차액, 즉 초과이윤은 낙류의 소유자에게 돌아가게 된다(표 1-2 참조).

이 점과 관련해서 우리는 다음과 같은 사항을 확인할 수 있다. 첫째, 상품의 사회적 생산가격을 주어진 것으로 할 때, 사회적 생산가격과 제한된 자연력을 독점적으로 이용하는 자본의 개별적 생산가격 사이에 차액이 발생한다. 둘째, 이 차액은 예외적인 자연의 혜택을 받는 생산력에 대해 다른 나머지 자본들이 배제되고 있는 데서 생긴다.[2] 셋째, 자연력 그 자체가 초과이윤을 성립시키는 것은 아니다. 자연력은 초과이윤을 형성하는 기초를 이룰 뿐이고, 토지 소유라는 사회적 관계 때문에 초과이

2. 자연의 혜택에 해당하는 또 다른 예로는 시장과 가까운 곳에 위치한 토지를 들 수 있다.

	투하자본 (비용가격)	평균이윤 (평균이윤율 20%)	개별적 생산가격	사회적 생산가격
대부분의 공장 (증기기관)	100	20 (100 × 0.2)	120 (100 + 20)	120
소수의 공장 (낙류 이용)	90	18 (90 × 0.2)	108 (90 + 18)	120

차액 120 - 108 = 12 → 초과이윤

대부분의 공장은 증기기관을 이용하여 생산하고 있고, 비용가격이 100원이며 평균이윤율이 20%라고 한다면, 생산가격(비용가격 + 평균이윤)은 120원이 된다. 만일 예외적으로 한 생산자가 낙류를 이용하여 생산하고, 비용가격은 증기기관을 이용할 때의 100원보다 낮은 수준, 예를 들어 90원이 소요된다면, 이때의 개별적 생산가격은 90원의 비용가격과 평균이윤(90×0.2)을 더한 108이 된다. 여기서 증기기관을 이용하는 대부분의 공장에서 생산하는 생산물의 생산가격이 사회적 생산가격(120원)이 되므로, 낙류를 이용하여 생산한 생산물도 120원에 거래되어 차액 12원이 발생한다. 이 차액은 낙류의 소유자의 것으로 된다.

표 1-2. 차액지대의 일반적 개념: 낙류의 예

윤이 토지 소유자의 주머니로 들어간다는 점이다. 넷째, 공업의 경우에는 예외적으로 높은 생산력을 보유한 자본이 얻는 특별 잉여가치(초과이윤)는 자본의 경쟁에 의해 상대적 잉여가치로 전화되지만, 농업의 경우에는 토지 사이에 존재하는 비옥도의 차이로 인해 발생한 초과이윤은 지대로 고정된다.

차액지대의 제1형태와 제2형태

차액지대의 제1형태

차액지대란 토지의 비옥도나 위치의 차이 또는 같은 토지에
차례로 투하된 자본의 생산성의 차이에 의해 발생된 초과이윤
이 지대 형태로 전화된 것이다. 이 차액지대에 대한 설명을 통
해서 농산물의 생산가격 형성 과정이 공업의 그것과 다르다는
점도 명확하게 된다. 자본주의적 지대를 구성하는 정상적, 기본
적 형태의 하나인 차액지대는 자본의 힘에 의해서가 아니라, 독
점적으로 이용되는 토지가 갖고 있는 예외적인 자연력(비옥도)
의 상대적인 차이에 의해서 최열등지(한계지) 이외의 토지에서
발생한다.

먼저 차액지대의 제1형태란 다른 모든 조건(예를 들면, 시장과
의 거리)은 같고 비옥도가 서로 다른 토지에 동일한 규모의 투
자를 했을 경우에 발생하는 지대이다. 비옥한 토지(I등지)가 제
한되어 있는 상황에서, 농업 생산은 비옥한 토지에서부터 이루
어질 수밖에 없다. 만일 인구의 증가 등으로 농산물에 대한 수
요가 증가하여 가장 비옥한 토지에서 생산한 농산물만으로 수
요를 충족시킬 수 없게 되면, 덜 비옥한 토지(II등지)로 생산이
확대될 수밖에 없다. 그러면 I등지와 II등지의 개별적 생산가격
의 차이가 발생하게 되는데, 사회적 생산가격은 I등지와 II등지
의 평균 수준에서 결정되는 것이 아니라, II등지의 개별적 생산
가격으로 된다. 사회적 생산가격이 II등지의 개별적 생산가격보

토지 유형	투하자본 (비용가격)	평균 이윤	생산량 (가마)	개별적 생산가격		사회적 생산가격		지 대
				총생산량	1가마	총생산량	1가마	
I등지	100	20	15	120	8 (120/15)	180 (12×15)	12	60 (180-120)
II등지	100	20	12	120	10 (120/12)	144 (12×12)	12	24 (144-120)
III등지	100	20	10	120	12 (120/10)	120 (12×10)	12	0
합 계	300	60	37	360		444		84

동일한 면적의 토지에 동일한 크기의 자본(100)이 투하되고, 평균이윤율이 20%인 경우 차지농업자는 20이라는 평균이윤이 보장되어야 지주로부터 땅을 임차하여 자본을 투하한다. 가장 비옥한 토지인 I등지에서 생산되는 생산물로는 사회적 수요를 충족시킬 수 없다면 농업 생산은 III등지로까지 확대된다. 가장 열등한 땅을 빌린 차지농업자도 20이라는 평균이윤이 실현되지 않는다면 자본을 투하하지 않을 것이므로, 각각의 토지에서 생산된 총생산물에 대한 생산가격은 120이 된다. 그러나 I등지에서는 15가마가 생산되고, II등지에서는 12가마, III등지에서는 10가마가 생산되었기 때문에 1가마당 개별적 생산가격은 I등지에서는 8(120/15), II등지에서는 10(120/12), III등지에서는 12(120/10)가 된다. 그리고 III등지에서도 생산이 이루어져야 사회적 수요를 충족시킬 수 있기 때문에 사회적 생산가격은 12로 되고, 이 사회적 생산가격은 I등지와 II등지에도 적용된다. 그 결과, 각각의 토지에서 생산된 총생산량에 대한 사회적 생산가격은 I등지의 경우는 180(12×15)이 되어 60이라는 초과이윤을 얻고, II등지의 경우에는 144(12×12)가 되어 24라는 초과이윤을 얻는다. 그리고 이 초과이윤은 예외적으로 높은 자연력(비옥한 토지)의 소유자(지주)에게 지대라는 형태로 지불된다.

표 1-3. 차액지대의 제1형태

다 낮게 되면 II등지에서의 생산은 이루어지지 않기 때문이다.
그리고 I등지에서 생산된 생산물도 II등지의 개별적 생산가격으
로 팔리게 된다. I등지의 개별적 생산가격과 II등지(여기서는 한계
지)의 개별적 생산가격의 차이가 I등지의 초과이윤이 되고, 이
초과이윤이 지대로 전화되어 토지 소유자의 몫으로 된다. 만일
시장의 수요가 증가하여 더 열등한 III등지에서도 생산이 이루
어져야 할 상황이 되면, II등지에서도 I등지와 마찬가지로 초과
이윤이 발생하여 II등지의 토지 소유자도 지대를 얻게 된다(경작
지의 확대 순서가 I등지에서 III등지, II등지의 순서로 진행되더라도 지대
의 형성은 동일하다).

표 1-3에서 보는 바와 같이, 여기에서 나타나고 있는 특이한
사항은 위의 3가지 경작지에서 생산된 총 산출량은 37가마이
고, 개별적 생산가격의 합은 360이지만, 사회적으로는 444로
평가된다. 그리고 444와 360의 차액 84는 I등지 소유자가 가져
간 지대 60과 II등지 소유자가 가져간 지대 24의 합과 같다. 자
본주의적 상품생산 사회가 경쟁에 기반할 경우에는 개별적 생
산가격의 합계와 사회적 생산가격의 합계는 일치하게 된다(상
품의 개별적 가치의 합계는 사회적 가치의 합계와 일치한다는 명제와
함께 이를 총계 일치의 2명제라고 한다). 그러나 농업 생산의 경우
는 최열등지의 개별적 생산가격이 사회적 생산가격이 될 수밖
에 없기 때문에 차액이 발생하게 되는데, 이를 "허위의(또는 부
당한) 사회적 가치"라고 한다. 지대에 해당하는 이 부분은 사회
적 노동의 실체를 갖지 않는 부분이고, 농산물 가격 형성의 특

수성에 의해서 발생되는 부분이다. 또한, 차액지대의 결정 과정에서 보는 것처럼, 농산물 가격의 결정에 의해서 지대가 결정되는 것이지, 지대에 의해 농산물 가격이 결정되는 것은 아니라는 사실도 중요하다.

차액지대의 제2형태

농지 이용의 확대는 차액지대의 제1형태에서 보는 바와 같이 농지의 외연적 확대뿐만 아니라, 농지의 보다 집약적인 이용, 즉 농업 생산의 내포적 심화를 통해서도 이루어진다. 즉, 새로운 경작 방법의 도입이나 새로운 기계의 사용, 시설의 확대 등을 위한 추가적인 자본 투하에 의해서도 농업 생산의 확대가 가능하다. 그리고 동일한 토지에 추가적으로 자본을 투하해서 열등지에 대한 동일한 투자보다 많은 산출량을 얻게 되면 추가적인 자본 투하에 의한 초과이윤의 획득이 가능하다. 이 초과이윤은 토지의 임차 기간이 완료되면서 지대의 상승이라는 형태로 토지 소유자의 몫으로 전환된다. 이것이 차액지대의 제2형태이다.

표 1-4에서 보는 바와 같이, 최열등지의 1가마당 개별적 생산가격이 12인 경우, I등지에 추가적인 자본 투하(I-2)로 생산량이 최열등지의 생산량보다 많게 되면 초과이윤이 발생한다. 이 초과이윤은 임차 기간 동안에는 차지농업자의 초과이윤으로 되지만, 임차 기간이 종료된 후에 재계약을 맺을 경우에는 이 초과이윤만큼 지대가 상승하게 된다. 마르크스는 차액지대의

토 지 유 형	투하자본 (비용가격)	평 균 이 윤	생산량 (가마)	개별적 생산가격		사회적 생산가격		지대
				총생산량	1가마	총생산량	1가마	
Ⅲ등지 (최열등지)	100	20	10	120	120/10	120 (12×10)	12	0
Ⅰ등지 (Ⅰ-1)	100	20	15	120	120/15	180 (12×15)	12	60 (180-120)
Ⅰ등지 (Ⅰ-2)	100	20	20	120	120/20	240 (12×20)	12	120 (240-120)

농업 생산의 확대는 우등지에 대한 추가적인 자본 투하를 통해서도 이루어질 수 있다. 예를 들어 가장 비옥한 토지에 추가적인 자본 투하(Ⅰ-2)를 통해서 추가적으로 20가마를 생산할 수 있다면, 이는 한계지인 Ⅲ의 생산량 10보다 많고, 이로 인해서 초과이윤(120)이 발생하게 된다. 지대로 60을 지불하기로 약속한 상태에서 차지농업자가 추가로 자본을 투하하여 얻은 초과이윤은 계약 기간 동안은 차지농업자의 것이 되지만, 계약 기간의 갱신이 이루어질 때 지주는 이 초과이윤을 기존의 지대에 포함시켜서 180의 지대를 요구할 것이다.

또 한 가지, 마르크스는 차액지대의 제2형태를 설명하면서 추가적인 자본 투하에 의해서 얻게 되는 수확량이 오히려 첫 번째 자본 투하 때보다 많을 수도 있다는 사실을 설명하면서, 차액지대가 수확체감의 법칙에 의해서 발생하는 것이 아니라는 점을 분명히 하고 있다.

표 1-4. 차액지대의 제2형태

제2형태를 설명하면서 추가적인 자본 투하에 의해서 얻게 되는 수확량이 오히려 첫 번째 자본 투하 때보다 많을 수도 있다는 사실을 설명하면서, 차액지대가 수확체감의 법칙에 의해서 발생하는 것이 아니라는 점을 분명히 하고 있다. 리카도의 차액지대론이 농산물의 사회적 가치가 최열등지의 생산 조건에 의해 결정된다고 한 것은 옳은 주장이지만, 그것을 수확체감의 법칙으로 설명한 것은 잘못이다. 왜냐하면 우등지에 대한 추가적인 자본 투하가 이루어질 때, 가격 등귀가 반드시 필요한 것은 아니기 때문이다.

차액지대의 제2형태는 초과이윤이 지대로 전화되었다는 점에서 차액지대의 제1형태와 크게 다르지 않지만, 자본주의 하에서 농업의 운동법칙과 관련해서는 시사하는 바가 크다. 지대는 계약 전에 확정되므로, 그 후에 새로운 신규 투자에 의해서 얻는 초과이윤은 차지농업자의 것으로 되어 계약 기간 중에는 지대로 전화되지 않는다. 이 때문에 차지 기간을 둘러싸고 토지 소유자는 가능하면 계약 기간을 짧게 하려고 하고, 차지농업자는 가능하면 길게 하려고 하는 갈등이 발생한다. 한편, 추가적인 자본 투하에 의해서 발생한 초과이윤이 지대로 전화한 후에는 이 지대 부분을 지불하기 위해서 최소 자본 투하량을 증가시키지 않을 수 없다는 점이 차지농업자에게는 부담으로 작용한다. 따라서 차지농업자는 자신이 투하한 자본의 효과를 가능하면 임차 기간 동안에 실현하려고 하기 때문에, 장기적인 지력 향상을 위한 투자보다는 단기적으로 토지를 집중적으로 이용하는 지력 약탈적인 농법 중심의 영농 기술의 발전을 꾀하려고 한다.

절대지대

차액지대의 본질은 최열등지의 개별적 생산가격이 사회적 생산가격으로 되면서 이 사회적 생산가격과 우등지의 개별적 생산가격 사이에 차액이 발생하고, 이 차액은 토지 소유라는 사회관계로 인해서 지주의 주머니로 넘어간다는 점이다. 그런데 이 경우에 최열등지의 지대의 존재에 대해서는 논의가 없었다. 그러나 토지가 배타적으로 소유되어 있는 상황에서는 최열등지라고 하더라도 지대를 지불하지 않고 타인의 토지를 이용하는 것은 불가능하다. 따라서 최열등지에서도 지대를 지불할 수 있기 위해서는 시장가격이 최열등지의 개별적 생산가격보다 높아야 한다. 즉, 시장에서 형성되는 농산물 가격이 최열등지의 개별적 생산가격보다 높아야 지대를 지불할 수 있고, 최열등지에서 농업 생산이 이루어질 수 있다.

이 경우, 농산물의 시장가격은 생산가격으로부터 괴리되는데, 이러한 괴리를 설명해 주는 것은 생산물의 가치와 생산가격의 차이이다. 자본구성이 사회의 평균적인 자본구성보다 낮은 부문은[3] 사회적 평균에 비하여 높은 생산물의 가치를 실현하여 높은 이윤율을 가져올 수 있지만, 높은 이윤율을 얻고자 하는 자본들 간의 이동으로 말미암아 생산가격은 생산물의 가치보다 낮은 수준에서 결정된다. 그런데 이러한 조건이 충족되기 위해서는 자본의 자유로운 이동이 전제되어야 한다. 농업의 경우에는 토지 소유라는 제한으로 인해서 자본의 자유로운 이동

---

3. 자본구성이란 생산에 충용되는 생산수단(불변자본, C)과 노동력(가변자본, V)의 구성비(C/V 또는 C/C+V)를 말한다. 자본주의 발전에 따라 자본구성은 높아지며, 이를 (자본의) 유기적 구성의 고도화라고 한다.

	자본구성 (C+V)	잉여 가치량 (M)	생산물의 가치 (C+V+M)	평균 이윤율 (%)	평균 이윤	생산 가격	생산물의 가치 - 생산가격
공업	80C+20V	20	120	20	20	120	
농업	60C+40V	40	140	20	20	120	20

잉여가치량 = 노동력의 구입에 투입되는 자본(가변자본)×잉여가치율(100%)

농업은 공업에 비해서 기계화의 속도가 낮기 때문에 생산수단의 구입에 투입되는 자본(불변자본: C)의 비율이 낮다(낮은 수준의 자본의 유기적 구성). 이에 따라 생산물의 가치가 공업 부문에 비해서 높다(140 〉 120). 농산물 가격이 최열등지의 개별적 생산가격(120)에 의해서 결정된다면, 최열등지에서는 지대가 발생하지 않는다. 토지 소유자는 최열등지라더라도 지대를 요구할 것이므로, 농산물의 가격은 최열등지의 개별적 생산가격보다 높아야 한다. 따라서 농산물의 가격은 생산물의 가치(140)에 해당하는 수준까지 올라갈 수 있다.

표 1-5. 자본구성의 차이와 생산물의 가치, 그리고 절대지대

이 제한되고, 이로 인해 농산물의 시장가격은 생산가격과 괴리된다. 이 괴리에 해당하는 부분은 토지 소유 자체에 의해서 발생했다는 점에서 절대지대라고 한다. 절대지대의 크기는 토지 소유자의 의지에 의해서 결정되는 것이 아니라, 농산물 시장과 토지 시장의 상태에 의해 결정된다. 절대지대를 포함하는 농산물 가격은 토지 소유의 독점력에 의해 생산가격으로부터 괴리된다는 점에서 일종의 독점지대로 볼 수 있지만, 절대지대는 해당 부문에서 형성된 가치라는 실체를 배후에 갖고 있다는 점에서 다음에 설명하는 독점지대와 구별된다. 리카도의 경우에는 가치와 생산가격을 동일시했기 때문에 절대지대를 인식할 수 없었다.

독점지대

자본주의적 지대는 농업을 포함한 모든 산업 부문에서 자본
주의적 생산의 확립과 평균이윤율의 성립 및 자본에 의한 토지
소유의 종속, 즉 근대적 토지 소유의 성립을 전제로 성립한다.
이는 단순히 이론적 전제에 머무르지 않고 역사적인 근거를 갖
고 있다. 이러한 전제하에서 차액지대와 절대지대만이 정상적
인 지대로서 존재할 수 있다. 만일 절대지대가 생산물의 가치와
생산가격의 차액(앞의 예에서는 20)을 넘는다면, 이는 독점가격
에 근거한 독점지대로 설명해야 한다.

독점지대는 본래적인 독점가격의 성립을 근거로 하고 있다.
본래적인 독점가격이란 생산물의 가치나 생산가격에 의해서 규
정되지 않고, 구매자의 욕망과 지불 능력에 의해서 규정되는 가
격이다. 일반적인 상품 가격은 정상적인 경쟁 조건을 매개로 형
성되지만, 독점가격은 경쟁 조건이 충족되지 않을 때 형성되는
가격이다. 이러한 독점가격은 농산물의 경우 다음과 같은 이유
로 발생할 수 있고, 이렇게 해서 성립되는 독점가격이 독점지대
로 전화된다.

첫째는 독점가격의 성립이 토지의 자연적 속성 때문에 여기
서 재배된 농산물의 희소성에 근거하고 있는 경우이다. 예를 들
면, 특별한 품질의 포도를 생산할 수 있는 특수한 토양의 토지
는 포도 생산자의 일반적인 경쟁을 배제함으로써 특수한 토양
에서 생산된 포도가 독점가격을 실현하는 것을 가능하게 한다.

이 경우 자본의 투하에 의해서 초과이윤이 만들어졌지만, 그 근거는 토지에 있고, 그것이 토지 소유에 의해 독점되고 있기 때문에, 초과이윤은 지대로 전화한다. 여기에서도 토지 소유는 초과이윤이 지대로 전화하는 원인이 될 뿐이고, 그 지대는 초과이윤을 낳는 독점가격에 근거해서 발생하기 때문에 독점지대라고 한다.

둘째는 이용 가능한 토지가 제한되어 있어서 토지 임차인 사이에 경쟁이 치열하게 되면 지대는 높아지게 되는데, 토지 소유자는 이로 인해서 일종의 독점지대를 받을 수 있게 된다. 토지의 공급이 수요에 대응할 수 있는 상황에서는 앞서 살펴본 차액지대와 절대지대의 논리에 의해서 지대가 결정되지만, 토지의 공급이 제한적인 상황에서는 토지 소유의 논리가 보다 강하게 작용하여 독점지대가 성립하게 된다.

위와 관련해서 명확히 해야 할 부분은, 독점지대는 토지 소유자 마음대로 높일 수 있는 것이 아니라, 농업에 투하된 자본의 생산가격(비용가격 + 평균이윤)의 실현을 전제로 하면서, 해당 농산물에 대한 사회적 욕망과 지불 능력의 크기에 의해 규정되고 있다는 점이다.

토지 가격

토지는 인간 노동의 산물이 아니다. 따라서 그 자체는 가치를 갖지 않기 때문에 본래 상품으로서 교환될 성질의 것이 아니다.

3. 토지 소유와 지대 형성의 논리 65

그럼에도 불구하고 토지가 상품으로서 거래되는 이유는 농업 생산에서 발생한 초과이윤이 토지 소유라는 사회적 관계를 통해서 토지 소유자에게 지대로 지불되기 때문이다. 만일 토지 소유자가 1년마다 일정액의 지대를 받는다면, 이는 매년 이자를 받는 것과 외형상 차이가 없고, 따라서 그 이자를 이자율로 할인한 액수의 자본을 빌려준 것과 동일한 것으로 간주할 수 있다. 만일 토지 소유자가 매년 100만 원의 지대를 받는다면, 연 10%의 이자율을 가정할 경우, 1,000만 원(100만 원 ÷ 0.1)을 빌려준 것과 마찬가지이므로, 토지는 1,000만 원의 가치를 갖고 있는 것으로 인식된다. 이를 다시 정리하면, 토지 가격에 의해서 지대가 결정되는 것이 아니라 지대에 의해서 토지 가격이 결정되고, 토지 가격은 이자율과 반비례 관계에 있다는 점이다.

4. 농산물 가격 형성의 논리

농산물 가격의 변동성

농산물 가격은 생산자인 농가에 대해서는 재생산의 조건이
되는 농업 소득의 문제이고, 소비자에게는 노동력의 재생산비
(생계비)와 연결된다. 이런 점에서 농산물 가격을 매개로 농업
부분은 경제의 재생산 구조에 포함된다.

자본주의 사회의 시장가격은 시장에서의 수요와 공급에 의
해서 결정된다. 수요가 증가하면 가격이 상승하고, 수요가 감
소하면 가격은 하락한다. 이는 가격에 영향을 주는 다른 요인
들이 일정하다는 전제에서 타당하다. 일반적으로 농산물은 공
산품에 비해 수요나 공급이 상대적으로 비탄력적이다. 우선 수
요 측면을 보면, 농산물은 일반적으로 필수품에 해당하는 품목
이 대부분이기 때문에 가격의 변동에 상대적으로 둔감하다. 공
급 측면을 보면, 농산물의 생산에는 토지나 자가 노동, 농업기

계 등 고정 생산요소의 투입이 많고, 생산기간도 공산품의 그것에 비해서 상대적으로 길기 때문에, 가격이 올랐다고 해서 공급량을 즉각적으로 늘리는 것도 어렵다. 특히 단기간의 경우에는 더욱 그러하다. 이처럼 수요와 공급 모두 비탄력적이기 때문에, 외부 변화에 의한 농산물 가격의 변동폭은 상대적으로 클 수밖에 없다. 자연 조건의 영향을 많이 받는 농업 생산의 특성이 가격 변동을 더 확대시키는 요인이 된다. 더욱이 생산계획에 따라 생산을 개시하면 상당한 시간이 흐른 후에 생산물이 완성되므로, 생산기간 중에 시장 여건이 변화되었다고 해서 생산계획을 변경하기가 곤란하다. 또한, 저장기간이 짧은 생산물의 특성상 시장가격이 폭락했다고 해서 시장 출하 시기를 늦추는 것이 어렵기 때문에, 이 또한 농산물의 시장가격의 변동을 확대시키는 요인이 된다.

시장가격은 시장의 수요와 공급에 의해서 결정되지만, 이 시장가격이 등락을 반복하는 이유는 중심이 되는 기준이 존재하기 때문인데, 그 기준이 되는 것을 사회적 생산가격이라고 한다. 즉, 시장가격이 사회적 생산가격보다 높아지게 되면 공급량이 늘어서 시장가격은 낮아지게 되고, 반대로 시장가격이 사회적 생산가격보다 낮아지게 되면 공급량이 줄어서 시장가격은 올라가게 된다. 한 나라의 농업 생산이 토지 소유자-차지농업자(자본가)-농업 노동자라는 삼극 구조에 의해서 지배를 받고 있는 상황이라면, 앞 장에서 살펴본 바와 같이, 차액지대만을 고려할 경우에는 한계지의 개별적 생산가격이 사회적 생산가격이 될 것이고, 최열등지에서 발생하는 절대지대까지 고려할 경우에는 한계지의 개별적 생산가격보다 높은 수준에서 농산물 가격이 결정될 것이다. 중요한 것은 최열등지의 생산가격이 사회적 생산가격으로 된다는 사실이다. 그리고 이렇게 결정되는 사회적 생산가격이 시장의 수요와 공급에 의해서 이루어지는 시장가격의 결정에서 중심추의 역할을 한다. 즉, 사회적 생산가격보다 시장가격이 높으면 생산의 증가로 시장가격이 내려갈 것이고, 반대로 사회적 생산가격보다 시장가격이 낮으면 생산의 감소로 시장가격이 올라갈 것이다. 그러나 현실의 경우와 같이 스스로가 토지 소유자이면서 차지농업자, 농업 노동자라는 삼위일체적 성격의 '자유로운 소토지 소유 농민'(자영농민)들의 생산이 지배적인 경우에는 동일한 논리로 시장가격의 형성을 설명하는 것은 무리가 따른다.

자영농민과 분할지 소유 농민

역사적으로 '자유로운 소토지 소유 농민'은 다양하게 존재해 왔다. '분할지 소유 농민' 혹은 '자영농민'으로 일컬어지는 '자유로운 소토지 소유 농민'에 대한 고전적인 규정은 다음과 같다. "자영농민의 자유로운 소유는 분명히 소경영을 위한 토지 소유에서 가장 정상적인 형태이다. 즉, 이 소경영이라는 생산양식에서 토지의 점유는 노동자가 자신의 노동생산물의 소유자이기 위한 하나의 조건이며, 또한 경작자는 자유로운 소유자이든 예속민이든 언제나 자신의 생활수단을 자기 스스로 독립하여 고립된 노동자로서 자신의 가족과 함께 생산해야만 한다"(K Ⅲ, 991쪽). 즉, 자기가 소유 또는 점유하고 있는 토지와 노동수단을 가지고 자기의 생활 수단인 농산물을 자기 가족과 함께 노동함으로써 생산하는 것이 자영농민, 소생산적 생산양식의 일반적 개념이다(김병태, 212쪽). 이 자영농민은 봉건제에서 자본제로 이행하는 과도기에 나타났지만, 현재의 자본주의 사회에서는 스스로가 지주이면서 소자본가, 농업 노동자라는 삼위일체적인 성격을 갖고 있다.

소자본가란 자본과 토지를 자신이 소유하고 있지만 임금노동자를 고용하지 않는 경영자를 의미한다. 자영농민은 자기 자신을 임금노동자로 볼 수도 있고, 동시에 자기 자신을 노동자로 사용하는 고용주 ― 소자본가 ― 로 볼 수도 있으며, 자기 자신을 토지 소유자로도 간주할 수 있다. 때문에 자영농민은 농산물의 판매액에서 임금노동자로서의 자신에게 노임을 지불하고, 고용주로서의 자신에게는 이윤을 지불하고, 토지 소유자로서의 자신에게는 지대를 지불하는 것이 가능하다고 할 수 있다. 그러나 실제로 그렇지는 않다. 그는 토지 소유자로서의 자신에게 지대를 지불할 의무는 없다. 소자본가로서의 자영농민은 평균이윤이 발생하지 않더라도 생산에 필요한 농업경영비(농기계와 종자, 비료 등의 비용)와 노동력의 재생산에 필요한 생계비가 보장된다면 생산을 유지한다. 즉, 토지 소유자이지만 지대가 실현되지 않더라도, 소자본가이지만 이윤이나 이자에 해당하는 부분이 실현되지 않더라도, "생산물의 가격이 그에게 임금을 보상하는 한 그는 토지를 경작하며, 때때로 생산물의 가격이 육체적 최저수준의 임금만을 보상하는 경우에도 토지를 경작한다"(K Ⅲ, 990쪽). 경우에 따라서 시장가격이 지대와 이윤, 그리고 임금에 해당하는 부분을 충족할 정도로 올라갈 수도 있지만, 이는 극히 예외적인 현상이라고 할 수 있다. 왜냐하면 임금에 해당하는 부분만이라도 시장가격이 충족해 준다면 생산을 확대할 것이기 때문이다. 한편, 자영농민이 땅을 임차해서 경작하는 경우에는 지불하는 차지료(지대)가 비용가격으로부터 지불될 수도 있는데, 이 경우 지대는 임차인에게 있어서는 가혹한 것으로 된다. 따라서 이 경우의 지대를 '명목상으로만 지대'(왜냐하면 평균이윤의 초과분이 아니므로)라고 한다.

토지 가격을 둘러싼 모순

소작농민은 일정액의 돈을 지불하고 토지를 구입할 수 있는데, 이를 통해서 토지 소유에 의한 제한에서 벗어난다. 즉, "토지소유에 의한 자본투하의 제한은 없게 된다"(K Ⅲ, 990쪽). 그러나 토지를 매입하기 위해서 지출한 화폐는 농업자본의 투하는 아니다. 토지 구입을 위해 지출한 화폐 부분만큼 경작을 위해 투하할 자본이 줄어든다. 이런 점에서 토지 가격은 농업자본의 투하에 하나의 제한이 된다. 또한, 만일 농민이 토지를 매입하기 위해서 돈을 빌린 경우에 "토지 가격의 이자는 하나의 제한을 이룬다." 그러나 분할지 소유 하에서 이 이자에 해당하는 부분은 평균이윤의 초과분이 아니기 때문에, 농산물 가격에는 이 이자에 해당하는 부분이 포함되어야 한다. 이 토지 가격의 이자는 본래적 비용 + 노임 ― 종종 육체적 최저한도 ― 이라는 비용가격으로 결정되는 농산물의 시장가격 수준에서는 지불할 수 없다. 따라서 농산물의 시장가격이 비용가격 외에 토지 가격에 대한 이자를 보증하지 않으면 농민은 경작을 계속하는 것이 불가능하게 될 것이다. 바꿔 말하면, 대부분의 자영농민에게 있어 토지 가격의 이자 지불이 재생산의 불가결한 조건이므로, 농산물의 시장가격은 그 비용가격을 초과하여 토지 가격의 이자 부분까지 상승하지 않으면 안 된다. 그래서 토지 가격의 이자는 농산물의 시장가격에 포함되는데, 토지 가격의 이자로서 실현된 부분을 제외하면 자영농민의 잉여노동은 모두 무상으로 사회에 증여된다. 결국 "낮은 농산물가격은 농민들의 빈곤의 결과이지 결코 그들의 노동생산성의 결과는 아니다"(K Ⅲ, 991쪽).

이상을 요약하면 다음과 같다. 우선, 첫째로 자영농민이 우세한 경우에 농산물의 시장가격은 최열등지 농산물의 비용가격, 즉 본래적 비용 + 노임 ― 종종 육체적 최저한도 ― 의 수준까지 하락하고, 이 비용가격이 농산물의 시장가격을 조절한다. 둘째로 대부분의 자영농민이 토지 가격의 이자를 지불하지 않으면 안 되는 경우에, 농산물의 시장가격은 최열등지의 비용가격을 초과하여 이 토지 가격의 이자 지불이 가능한 수준까지 상승한다. 이 경우에는 비용가격 + 이자가 그 시장가격을 조절할 것이다.

생산가격의 비요소로서의 토지 가격

자영농민에게 토지 가격은 사실상 생산비의 한 요소로 들어간다. 그러나 토지의 구입을 위해 지출된 화폐 — 즉, 토지 가격 — 는 농업에서 기능하는 고정자본의 일부분을 이루는 것도 아니고, 유동자본의 일부분을 이루는 것도 아니다. 따라서 토지 구입을 위한 화폐자본의 지출은 농업에 투하된 자본과는 아무런 관계도 없다. 따라서 토지 가격은 생산가격 중에 들어가는 것이 불가능한 것이다. 이 모순은 '생산자에게 있어서 비용가격의 요소로서의 토지 가격과 생산물에 있어서 생산가격의 비요소로서의 토지 가격의 충돌'이라고 보통 표현된다. 이 충돌은 자영농민의 합리적 농업을 배제한다.

자영농민은 우등지나 비교적 좋은 위치에 있는 땅을 경작한다면 '차액지대'를 획득할 수 있다. 이 경우, 토지 구입을 위해 지출된 화폐는 '차액지대'의 형태로 실현된다고 할 수 있다. 이 '차액지대'는 자영농민의 축적에 도움이 되지만, 우등지는 소수에 불과하다.

이에 반해서 최열등지에서는 '차액지대'에 해당하는 부분이 존재하지 않기 때문에 토지 구입을 위해 미리 지출한 화폐를 회수하는 것이 불가능하다. 지대를 지불하지 않을 목적으로 토지를 구입하더라도 자영농민은 한정된 '차액지대'를 취득할 수는 있지만, '절대지대'를 취득하는 것은 불가능하다. 따라서 토지 구입을 위한 화폐의 지출은 농업에 투하될 수 있는 자본을 감소시킬 뿐이다. 토지 구입을 위한 화폐의 지출은 농업자본의 투하와는 전혀 관계가 없고, 그것만큼 생산수단을 구입할 수 있는 화폐를 감소시켜 재생산의 경제적 기반을 좁게 한다. "토지 가격이 개별생산자에 대하여 생산물의 비용가격(또는 비생산적 비용)의 주요한 요소의 하나를 이룬다"(K Ⅲ, 993쪽). 이 때문에 토지 가격은 농업 생산의 제한으로서 나타난다. "생산자에 대한 비용가격의 요소로서의 토지가격과 생산물에 대한 생산가격의 비요소로서의 토지가격 사이의 충돌은 토지의 사적 소유와 합리적 농업 사이의 모순을 표현하는 형태들 중의 하나에 불과하다"(K Ⅲ, 998쪽). 또한, "대규모 토지소유는 생명의 자연법칙이 명령하는 사회적인 신진대사의 상호의존적인 과정에 회복할 수 없는 균열이 생기도록 하며 지력을 탕진하는데, 이것은 무역에 의하여 한 나라의 국경을 넘어 타국에서도 발생한다"(K Ⅲ, 999쪽).

5. 농공 간의 불균등 발전

　자본주의 경제의 기점인 산업혁명을 가능하게 한 물적 토대를 제공한 것이 농업이었고, 자본의 본원적 축적이라는 과정을 통해서 "이중의 의미의 자유로운 임노동자의 창출"이 이루어졌던 곳도 농업이었다. 그러나 농업의 자본주의화(협의의 자본주의적 농업)는 공업에 비해서 늦게 성립했을 뿐만 아니라, 이후에도 발전 과정이 공업에 비해서 지연되었다. 이를 가리켜 '농공 간의 불균등 발전'이라고 한다.

자본의 재생산 과정과 농업

　농공 간의 불균등 발전이라는 현상이 나타나게 된 원인은 여러 측면에서 설명할 수 있지만, 우선 자본의 재생산 과정을 통해서 살펴보면 다음과 같다. 자본주의 사회는 사적 소유에 근거하여 사회적으로 필요한 상품을 생산하는 사회이다. 산업자본(가)은 이윤을 얻기 위해 임노동자를 고용하여 상품을 생산한다. 상품을 생산하기 위해서는 노동력 이외에 생산수단(노동대상과 노동수단)이 필요하고, 노동력과 생산수단이 결합되는 생산과정을 통해서 새로운 상품이 만들어진다. 그리고 이렇게 만들어진 상품은 다음의 생산에 필요한 노동력의 재생산과 생산수단의 충용에 사용된다. 자본주의 사회에서 만들어진 생산물은 소비 수단과 생산수단으로 구분할 수 있는데, 생산수단을 생산하는 부문을 제I부문이라 하고, 소비 수단을 생산하는 부문을 제II부문이라 한다.

자본의 재생산 과정은 일반적으로 확대된 규모의 재생산 과정, 즉 확대재생산 과정이다. 이 확대재생산의 전개에 있어서 생산수단을 생산하는 제I부문이 소비 수단을 생산하는 제II부문보다 한층 급속하게 확대되어 간다. 이 법칙을 '제I부문의 우선적 발전' 또는 '2부문 간의 불균등 발전'이라고 한다. 농업은 공업용 원료나 가공식품의 원료 등과 같은 생산수단을 생산하기도 하지만, 생산물의 대부분은 노동력의 직접적인 재생산에 필요한 소비 수단(식량 등)을 생산하는 제II부문에 속한다. 농산물이라는 소비 수단을 생산하는 농업은 그 발전에 있어서 생산수단을 생산하는 부문에 비해 발전이 늦고, 따라서 생산수단의 생산을 주도하는 공업에 비해 발전 속도가 늦다. 이것이 농공 간의 불균등 발전의 최대의 원인의 하나라고 할 수 있다.

그러나 이를 가지고 농공 간의 불균등 발전의 원인을 완전하게 해명했다고 할 수는 없다. 왜냐하면 동일하게 소비 수단을

생산하는 부문에 속하는 섬유공업, 식품공업 등은 농업보다도
발전 속도가 빠르기 때문이다.

농업 발전 지연의 사회경제적 원인

농업에서 잉여의 유출

협의의 자본주의적 농업이 이루어지는 경우, 차지농업자(자
본가)는 토지 소유자에게 지대를 지불하지 않고서는 그의 토지
에 자본을 투하하는 것이 불가능하다. 즉, 차지농업자는 평균
이윤의 초과분을 토지 소유자에게 지대로 지불한다. 이로 인해
초과이윤은 토지 소유자에게로 넘어가서 농업자본으로 전화되
지 않는다. 또한, 초과이윤이 토지 소유자의 것으로 되기 때문
에, 차지농업자의 생산 의욕은 감퇴된다. 그러나 공업의 경우
에는 초과이윤이 산업자본가의 것으로 되기 때문에, 이를 기존
의 자본에 추가하여 축적하는 것이 가능하다. 또한, 차지농업자
는 토지개량과 집약적 경작을 통해서 초과이윤을 얻는 것이 가
능하지만, 이 초과이윤은 임대 계약의 갱신과 함께 토지 소유자
의 것으로 된다. 차지농업자의 토지개량을 위한 노력은 토지의
가치를 높이지만, 차지농업자는 자신의 차지 기간 중에 완전한
회수가 불가능한 개량과 투자는 피하기 때문에, 합리적 농업은
방해를 받게 된다.

농업 생산의 특성

첫째로 농업의 생산기간은 동식물의 자연적 생육 과정에 지배받기 때문에 공업의 그것에 비하여 비교적 길다. 생산기간이 길기 때문에 농업자본의 회전율은 낮아지고, 이에 따라 자본축적의 속도도 늦어지게 된다. 또한, 농업 생산은 계절적으로도 제약이 많고, 기상 조건의 영향을 크게 받는다. 과학기술의 발달로 인해 자연적 제약성은 어느 정도 극복할 수 있지만, 완전하게 극복하는 것은 불가능하다. 농업의 '계절성'은 어떤 계절(농번기)에는 노동력을 크게 필요로 하고, 다른 계절(농한기)에는 노동력의 '반실업 상태'를 낳는다.

둘째로 농업에 있어서의 노동기간과 생산기간의 불일치를 들 수 있다. 예를 들면, 식물이나 동물의 생육 기간, 즉 생산기간은 '자연법칙'의 지배를 받아 비교적 장시간을 필요로 한다. 그러나 이를 생육시키기 위해 필요한 노동기간은 생산기간보다도 짧다. 농기계를 사용한다고 하더라도 곡물의 자연적 생육 과정 ─ 생산기간 ─ 을 단축하는 것은 불가능하다. 연 1회 수확이 가능한 곡물의 생산기간의 단축 또는 연장은 그 해의 기상 조건에 영향을 받고, 제조 공업처럼 정확하게 예측하고 제어하는 것은 불가능하다. 생산기간을 단축하기 위해 품종을 개량하거나 화학물질을 사용하기도 하지만, 이는 극히 제한적일 뿐이다.

셋째로 '토지의 유한성'을 들 수 있다. 자본과 노동은 토지를 개량하는 것은 가능하지만, 토지 자체를 만들어 내는 것은 불가능하다. 공업에서는 초과이윤을 얻기 위해 생산을 확대할 때

자본의 운동에 제한이 없지만, 농업의 경우에는 토지 소유 여부에 따른 자본 투하의 제한으로 인해 생산 확대에 있어서 어려움이 존재할 뿐만 아니라, 토지 자체도 유한하고, 더욱이 비옥한 토지는 제한되어 있다. 이러한 '토지의 유한성'으로 인해서 농산물 가격은 평균적 수준의 비옥도를 가지고 있는 토지의 생산 조건에 의해서가 아니라 최열등지의 경작 조건에 의해 결정된다. 그리고 이 경작 조건의 차이에 의해서 발생되는 차액은 토지 소유라는 사회적 관계로 인해서 지대라는 형태로 토지 소유자의 것으로 된다. 농업에서 만들어진 초과이윤이 지대라는 형태로 외부로 유출되어 생산과정에 재투자되지 못하는 까닭에 농업의 발전은 지연될 수밖에 없다.

넷째로 '수확체감의 법칙'을 들 수 있다. '(토지의) 수확체감의 법칙'이란 토지에 대한 노동과 자본의 추가적 투하가 가져오는 수확량의 증가분이 점점 감소하는 것을 말한다. 이 법칙은 기술이 일정하다는 것을 전제로 하고 있지만, '노동과 자본의 추가적(혹은 계속적) 투하'는 생산방법의 변화, 기술의 개량이 함께 이루어진다. 비교적 작은 규모라면, '노동과 자본의 추가적(혹은 계속적) 투하'는 불변의 기술 수준을 기반으로 이루어지기 때문에, 이 경우에는 '토지의 수확체감의 법칙'도 어느 정도 타당하다. 그러나 장기간을 전제로 하면, 불변의 기술 수준은 현실과는 맞지 않는 전제라고 할 수 있다. 그럼에도 불구하고, 농업의 경우에는 토지라는 요소가 고정적으로 전제되는 경우가 많기 때문에 수확체감의 법칙이 발현될 가능성이 공업에 비해서 크다고 할 수 있다.

다섯째로 자본주의의 발달에 따라 농업인구가 상대적으로도 절대적으로도 감소한다는 점을 들 수 있다. 농업인구가 비농업인구에 비하여 끊임없이 감소하는 것은 자본주의적 생산양식의 본성에 뿌리를 두고 있다. 왜냐하면 공업에서는 노동력(가변자본)에 대한 생산수단(불변자본)의 비율은 높아지지만, 가변자본의 크기 자체가 감소하는 것은 아니다. 그러나 농업에서는 일정한 땅을 이용하는 데 필요한 노동력은 절대적으로 감소할 수 있으며, 농업에서의 유기적 구성도 높아져 간다. 시장에서의 경쟁에서 밀려난 자영농민은 일자리를 찾아 도시로 유출되기도 한다. 비농업적 생산을 갖지 않을 수 없는 농촌 주민은 항상 도시 공업을 위해 노동력을 제공할 '잠재적 과잉인구'를 형성하여 '산업예비군'으로 존재하게 된다.

농업 생산이 갖고 있는 이러한 특성은 농업과 관련된 여러 관계들을 복잡하고 다양하게 하고, 이로 인해 자본의 농업 지배는 심화된다.

6. 불균등 발전의 심화와 농업 문제

자유경쟁이 지배적이었던 자본주의는 19세기 말부터 경제 전반에서 독점이 진행되었다. 자본주의가 독점 단계에 이르게 되면 농업 문제도 그 내용과 성격, 모순의 형태가 그 이전과 달라지게 된다. 자유경쟁이 독점으로 이행된 것은 자본주의적 축적의 역사적 경향에 의한 필연적인 결과라고 할 수 있다. 자본 간의 경쟁의 심화, 19세기 말의 과학기술 혁명, 주식회사 제도의 확대 등을 바탕으로 공업의 비약적인 발전과 거대 기업으로의 생산의 집중이 이루어졌다. 독점의 형성·발전은 산업 부문에 머물지 않고 금융 부문에서도 진전되었다.

자본주의가 자유경쟁에서 독점 단계로 이행함에 따라 다음과 같은 새로운 특징이 나타나게 되었다. 첫째, 이 단계에서는 평균이윤이 아닌 독점이윤의 획득이 경제의 동향을 규제하는 기본적 법칙으로 된다. 독점이윤의 확보가 독점자본의 행동의 기본적 동기·기준이 되었고, 독점이윤의 확보를 위한 생산·유통·금융 등의 독점적 지배가 가속화되었다. 둘째, 열강에 의한 세계의 영토적 분할이 제2차 세계대전까지 확대되었다. 셋째, 초국적 자본의 경제 지배가 확대·심화되었다.

불균등 발전의 심화

독점 단계에 이르면 이전과는 다른 형태로 농업·농민·농촌과 관련된 환경에도 커다란 변화가 나타나게 되고, 이에 따라 농공 간의 불균등 발전이 심화된다.

농업을 둘러싼 변화의 내용을 정리하면 다음과 같다.

첫째, 농업용 투입 자재의 생산이 비약적으로 증대되고 독점화가 진행된다. 산업자본주의 단계에서는 중화학공업의 미발달로 농업기계, 화학비료, 농약 등의 농업용 자재의 생산은 극히 일부에 지나지 않았다. 그러나 독점 단계에 접어들면 중화학공업이 진전되어 다양한 농업용 자재가 대량으로 공급된다. 동시에 이 농업용 자재 생산 부문에서도 독점화가 진전되어 생산의 대부분이 독점자본에 의해 장악된다.

둘째, 농산물의 가공이나 유통 부문을 담당하는 자본이 대규모화하고, 이들의 지배력이 강고해진다. 독점 단계에서는 농산물의 가공 분야에서도 사회적 분업이 한층 진전된다. 그로부터 농산물 가공이 하나의 독립된 공업 부문(식품 산업 등)으로 되고, 독점화도 진전된다. 또 유통 부문에서도 종래의 상인과 소규모 시장을 대신해서 독점적 상업자본이나 대규모 시장이 나

타나게 된다. 이리하여 농민은 농산물의 판매에 있어서 이전
과 같은 중소 상인·중소 가공업자·중소 규모 시장이 아닌 독
점적인 가공 자본이나 상업자본, 대규모 시장에 대응하지 않을
수 없게 된다.

셋째, 농산물 시장이 국가 단위를 넘어서 세계시장에 연결된
다. 산업자본주의 단계에서는 교통·운수·통신 수단과 저장
기술의 미발달로 농산물 시장은 좁은 범위에 머물러 있었다. 그
러나 독점 단계가 되면 교통·운수·통신 수단의 비약적 발달
등으로 인해 농산물 시장은 세계시장에 깊숙이 편입된다. 이상
과 같이 독점 단계에서는 농업·농민과 독점자본의 접촉 기회
가 증대·일상화되고, 독점자본에 의한 농업·농민에 대한 지배
기반이 더욱 확대되고 다양하게 된다.

독점자본의 농업 지배 강화

농공 간의 부등가교환의 확대

독점 단계에 있어서는 농업도 독점자본주의의 재생산 구조에
포섭되어, 농민뿐만 아니라 농업 자본가조차 독점자본의 지배
하에 놓이게 된다. 농업에서 상품생산의 확대가 이루어지는 가
운데, 비독점 부문으로서의 농업이 공급하는 농산물과 독점체
가 공급하는 농업용 자재, 소비 수단과 같은 공산품 사이의 부
등가교환을 매개로 하여 시장을 통한 독점자본의 농업에 대한
가치 수탈이 이루어진다. 이 가치 수탈은 독점자본의 생산물과

농민의 생산물 사이의 부등가교환을 기초로 다양한 통로로 이루어진다.

독점 단계에서는 농업 생산과정에 각종 농업용 자재를 대량으로 사용하지만, 이들 자재 생산의 대부분은 독점자본의 지배하에 놓여 있다. 따라서 독점자본은 농업용 자재에 대해 생산·시장에서의 독점적 지위를 이용하여 생산가격보다 훨씬 높은 가격, 즉 독점가격으로 판매한다. 이 독점가격에 의한 농업용 자재의 가격 상승은 농업경영비를 증대시켜 자본 효율의 저하를 가져오고, 최종적으로는 농민의 소득 부분(농업 자본가에게 있어서는 이윤 부분)을 삭감한다.

또한, 독점 단계에서는 농업의 상품생산이 현저하게 진전되어 시장에서의 경쟁이 치열해진다. 이로 인해 다수의 소규모 생산자 사이의 경쟁도 치열해진다. 이와 반대로 농산물의 구입자인 가공·유통 부문에서는 독점화가 진전되어 소수의 독점적 가공업체나 유통업자의 지배력이 강해진다. 독점적인 가공 자본이나 유통자본은 농산물의 판매자와 구매자 사이의 교섭력의 격차를 이용해서 농산물 가격의 인하를 강행한다. 이에 따라 농산물 가격은 종종 비용가격 수준, 때로는 그 이하로까지 내려간다. 아울러, 독점 단계에서 농민은 독점가격으로 소비 수단(생활자재)을 구입하게 되므로, 농민의 가계비가 증대되어 농민의 소득 부분을 압박한다.

농지의 황폐화와 농업 노동력의 유출

독점자본은 농공 간의 부등가교환, 금융 지배 등의 강화를 통하여 농민층의 분해를 가속화하고, 중·소농을 농업 생산에서 몰아낸다. 이를 통해 끊임없이 농지의 독점적인 장악이 이루어지고, 농업 노동력의 유출이 심화된다.

독점 단계에서는 공업 부문의 팽창과 도시의 확대로 인해 이에 필요한 공장 용지와 주거 용지에 대한 수요가 급증하고, 이에 따라 농지의 절대적인 감소와 황폐화가 진행된다. 금융기관의 부동산담보 대출을 통한 농지의 수탈과 독점자본의 '토지 투기'에 의한 농지의 황폐화도 급증한다. 공업 생산이나 도시민을 위한 용수 공급의 증대는 동시에 농업용수의 고갈로 이어지고, 한편에서는 수질 악화로도 이어진다. 이처럼 독점자본에 의한 농업·농촌의 이른바 '물질적 착취'는 농업 생산의 기반을 질과 양의 양 측면에서 악화시킬 뿐만 아니라 농민의 경영과 생활에도 여러 가지 타격을 준다.

자본주의 사회에서 농업 노동력의 유출과 도시 지역으로의 이농은 항상 나타나는 현상이지만, 특히 독점 단계에 들어서면 대규모로 광범하게 이루어진다. 농업·농촌에서 공업·도시로 노동력, 특히 젊은이와 기간 노동력의 대량 유출이 일어난다. 그 결과, 농업에서는 활력 있는 노동력이 감소하고 농촌 노동력의 질적 저하(고령화)가 진행되면서, 농업을 담당할 후계자도 부족하게 된다.

독점자본의 농업 생산에의 진출

독점자본은 부등가교환을 통한 가치 수탈과 '물질적 착취'뿐만 아니라, 농업 생산과정에도 직접 참여한다. 독점자본의 농업 생산 진출은 다양한 형태를 갖고 전개되지만, 보다 직접적이고 전형적인 것은 농업 관련 자본(agribusiness capital) ― 식품 가공업체, 농산물 유통업체, 농자재 업체 등 ― 이 농업 생산에 직접적으로 참여하는 것이다. 다국적 기업인 네슬레, 델몬트 등에 의한 대농장의 경영, 복합체(conglomerates)에 의한 농업 생산에 대한 진출, 거대 기업의 양계, 양돈 진출 등이 그 일례이다. 또한, 독점자본은 수직적 통합(vertical integration)이나 '계약농업'을 통하여, 직접 농업 생산에는 참여하지 않지만, 농업 생산 수단(종자, 비료, 사료 등)의 공급, 작부 기간, 재배 혹은 사육 방법, 생산물의 규격 등의 통제를 통하여 실질적으로는 농업 생산을 지배하기도 한다. 이 경우, 농민은 독립성을 상실하고 자본에 대하여 사실상의 임노동자의 지위로 전락한다. 이러한 독점자본의 농업 생산과정으로의 진출은 농업 자본주의화의 한 형태라고 할 수 있다.

독점 단계에서는 농업 문제가 한층 심각하고 복잡한 형태로 전개된다. 이런 가운데 농업과 공업의 불균등 발전이 현저하게 확대된다. 농공 간의 불균등 발전은 모든 자본주의 국가에 고유한 현상이고 자본주의 경제 전체를 관통하는 경제법칙이지만, 특히 독점 단계에서는 더욱 확대·심화된다. 결국, 농업의 발전은 억압되고, 생산력의 향상은 둔화된다. 그리고 농업과 공업이라는 2대 생산 부문의 현저한 불균등은 농업의 지속가능성을 파괴하고 농촌 사회의 공동화 등을 가져온다.

7. 농업공황과 농업 위기

농업공황이란?

독점 단계에 들어선 이후 농공 간의 불균등 발전이 심화될 뿐만 아니라 농업 내부에서도 불균등 발전이 심화된다. 즉, 기업농과 중·소농 간, 작물 간, 지역 간에 불균등 발전이 심화된다. 많은 중소 경영이 쇠퇴·몰락해 감에도 불구하고 일부의 기업농은 확대를 계속해 가기도 한다. 또한 일부 작물은 생산이 증가하는 반면, 어떤 작물은 생산이 감소하기도 한다. 이에 따라 새롭게 산지로 편입되는 지역이 나오기도 하고, 오래된 산지가 소멸하는 현상이 나타나기도 한다. 불균등 발전은 한 나라에서만 발생하는 것이 아니라, 국경을 넘어서 발생하기도 한다. 이러한 모순이 응축적으로 나타난 현상이 농업공황이라고 할 수 있다.

농업공황이란 자본주의적 상품생산의 기본적 모순(소유의 사적 성격과 생산의 사회적 성격 사이의 모순)이 농업 부문에서 나타난 것으로, 농산물의 상대적 과잉생산을 말한다. 상대적 과잉생산이란 모든 사람이 소비하고도 남을 정도로 과잉생산된 것이 아니라, 많은 사람들이 필요로 하고 있음에도 불구하고 구매력의 부족으로 인해서 상품이 상품으로 판매되지 못하는 것을 의미한다. 농업공황은 자본주의의 운동법칙이 농업에도 관철되어 감에 따라 그 기본 모순이 상대적 과잉생산이라는 형태로 나타난 것이고, 이윤을 획득하기 위한 생산의 무제한적인 확대와 이에 조응하지 못하는 지불 능력 사이의 차이가 농업 부문에서 나타난 것이다. 이처럼 농업공황은 자본주의적 재생산 구조의 기본 모순이 농업 부문에서 공황으로 나타난 것으로, 자본주의적 상품생산 사회의 고유한 현상이라고 할 수 있다. 과잉생산으로 인해 농산물 가격이 폭락하고, 대부분의 농민적 경영과 중소 농장, 혹은 대농장의 일부까지도 몰락하여 생산의 집적·집중이 진행된다.

농업공황은 지대의 존재나 소농민 경영의 광범한 잔존이라는 사회경제적 특성과 자연 조건에 크게 좌우되는 농업 생산의 특성 때문에 장기간 지속되는 특징을 가지고 있다(농업공황의 장기성). 또한, 지대의 크기는 농산물의 시장가격이 확정되기 훨씬 이전에 결정되므로, 농산물 가격이 낮아졌다 하더라도 지대가 축소되지는 않는다. 따라서 농업공황의 폐해는 일차적으로 차지농업자에게 돌아간다. 또한 소농민들의 경우에는 공황으로 인해 농산물 가격이 폭락하면 소득 감소를 만회하기 위해 오히려 공급량(생산량)을 늘리는 경향이 있다. 이 때문에 오히려 농산물 가격이 더욱 폭락하는 악순환이 되풀이되면서 농업공황이 장기화되는 경향이 있다.

농업공황의 역사

역사상 농업공황은 자본주의가 독점 단계로 이행하기 시작한 19세기 말에 시작되었다. 이른바 1873년의 세계적 경제공황을 계기로 하여 시작된 '19세기 말의 농업공황'이었다. 일반 경제공황이 1825년에 최초로 발생한 것에 비하면, 반세기 정도 늦게 나타났다고 할 수 있다(농업공황의 후발성). 또한, 농업공황은 일반 경제공황과는 달리 장기간 지속되는 경향을 보인다(농업공황의 장기성).

농업공황이 독점 단계에 들어선 이후에 본격화된 이유(농업공황의 후발성)는, 이전에는 상품으로서 농산물의 생산이 상대적으로 미약했으나, 자본주의적 상품생산의 확대로 농업 부분에서도 상품생산이 급격하게 진행되었기 때문이다. 또한, 19세기 말의 과학기술 혁명으로 농업의 기계화와 미간지의 개척 등이 이루어지면서 농업 생산이 크게 확대되었고, 이러한 현상은 신대륙에서 더욱 두드러졌다. 또한 교통 혁명으로 장거리 운송이 가능하게 되고 신대륙이나 러시아, 인도 등지로부터 막대한 양의 농산물이 유럽 시장에 유입되면서 장기간 동안 농업공황에 빠지게 되었다.

제1차 세계대전이 끝난 1920년대에 세계경제는 상대적인 안정기에 들어가면서 투자의 증대와 노무 관리의 강화가 경영합리화라는 이름으로 진행된다. 이에 따라 생산력의 현격한 증대와 대중 소비력의 위축이라는 양자 간의 모순이 확대되었다. 이런 가운데 1929년 10월 미국 뉴욕 주식시장의 주가 폭락을 계기로 역사상 유례없는 심각한 세계 대공황이 발생하게 되었다. 대규모 기계화가 진행된 농업 부문도 세계 대공황의 영향을 받아 농업공황에 휩싸이게 된다. 이 농업공황은 미국뿐만 아니라 자본주의 시장권에 속해 있는 전 지역에 파급되었다. 미국은 농업공황을 극복하기 위한 일련의 정책(가격 지지 정책, 생산제한 정책 등)을 펼쳤지만, 이 농업공황의 영향으로 미국 농업은 만성적인 잉여농산물을 처리해야 하는 부담을 떠안게 되었다.

1930년대에 성립된 농산물 가격 지지 정책이나 생산제한 정책 등 농업공황을 극복하기 위한 일련의 정책들은 제2차 세계대전 이후에도 지속되었다. 이러한 정책에 의해서 농산물 과잉이 가격 폭락으로 직접 연결되지는 않았으나, 이른바 농산물의 전반적인 과잉이 구조화되었다. 특히 미국을 비롯한 선진국 중심으로 농산물의 전반적인 과잉이 일반화되었다. 이로 인해 농민적 농업경영은 큰 타격을 받아 몰락이 급속화된 반면,[1] 기업

---

[1] 농산물 가격 지지 정책은 농민의 수취 가격의 폭락을 어느 정도 막는 역할을 수행했지만, 지지가격의 수준은 평균적인 경영 수준의 생산비에 의해 결정되었기 때문에, 평균 수준 이하의 소경영은 끊임없이 배제되었다. 이는 평균적인 채산 수준을 끊임없이 낮춰서 지지가격의 실질적인 저하를 가져왔다.

적 대경영은 기계화와 함께 비료와 농약의 사용 증대 및 품종 개량 등을 통하여 면적당 수확량을 대폭 높여 생산제한에 의한 면적 감소분을 넘어서 그 이상으로 수확을 증대시켰다.

한편, 미국 정부는 이 과잉 농산물의 증대에 대처하기 위해 후진국에 대한 대외 원조와 상호안전보장법, 농산물무역촉진 원조법(PL480) 등에 의한 특별 조건이 붙는 잉여농산물 원조를 추진했다(2부 1장 참고). 해외 원조를 통한 잉여농산물의 처리는 미국의 농업공황을 국제시장으로 전가하는 것이었고, 이로 인해 국제 농산물 시장에서 경쟁이 격화되었다. 뿐만 아니라 미국 잉여농산물의 처리장이 되어 버린 국가는 농업 생산의 자립적인 발전이 봉쇄당하게 되었다.

이처럼 제2차 세계대전 이후에는 농산물 가격의 급격한 하락을 수반하는 과거와 같은 심각한 농업공황에는 빠지지 않았지만, 이러한 과정은 또 다른 모순을 준비하는 과정이어서 구조적인 '농산물의 만성적 과잉 현상'을 가져왔다. 국가에 의한 경기 조정책의 일환으로 이루어진 농산물 가격 지지 정책과 생산제한 정책에 의해 과거와 같은 농산물 가격의 폭락 현상이 나타나지 않았지만, 전후에 과잉생산 농산물의 해결책으로서 이루어진 한국을 비롯한 후진 지역에 대한 미국의 잉여농산물 원조는 농업공황을 완화 또는 억제하는 중요한 수단(이른바 공황 수출)의 하나로 이용되었다. 잉여농산물이 살포된 지역에서는 농업 생산의 발전을 기대하기가 어려웠고, 이후 이들 지역은 만성적인 농산물 수입국으로 전락하는 과정을 겪게 되었다. 농산물

의 상품화가 진전되고, 국제 무역 거래를 통해 세계시장에 편입
되면, 농산물 수입국은 선진국의 공황 수출의 직접적인 피해자
가 된다. 더욱이 이들 과잉농산물 살포 지역의 농업공황 현상은
자체의 내적 모순에 의해 발생한 것이 아니기 때문에 자체의 역
량으로 극복하는 데에는 한계가 있을 수밖에 없다. 내재적 요인
에 의해 발생한 농업공황을 극복하는 데에도 일반 경제공황보
다 더 많은 시간을 필요로 하는 것이 농업의 특성인데, 외래적
요인에 의해 농업공황이 발생할 경우에는 이에 대한 대응이 거
의 불가능하고, 이들 과잉 농산물 살포 지역은 농업공황의 만성
화, 나아가서는 농업 위기를 초래하게 된다.

농업 위기의 심화

농업 위기는 자본에 의한 농업·농민의 지배의 결과로서 나
타나는 농업 문제의 가장 총괄적인 현상이라고 할 수 있다.
1970년대 초 브레턴우즈 체제가 붕괴되면서 세계경제에서 미
국의 지위(Pax-Americana: 미국에 의한 질서유지)도 급락했다. 특
히 미국은 달러 가치의 하락으로 이어진 달러 위기로부터 벗어
나기 위해서 무역수지 적자를 축소해야 했는데, 당시 국제 곡물
가격 상승 등에 힘입어 확대되고 있던 농산물 수출에서 그 출
구를 모색하게 되었다. 이를 위해서 그동안 취해 왔던 농산물
생산제한 정책을 완화하고, 과거의 농산물 원조 정책을 대신하
여 농산물 수출 확대 정책을 전개하였다. 1980년대로 들어서면

서 세계경제가 장기적인 불황에 빠지게 되었고, 특히 후진 개발
도상국의 누적채무 증대와 경제적 곤란에 따른 수입 수요 둔화
로 농산물 수출국의 재고가 급증하게 되었다. 이러한 세계 식량
수요의 정체에 따라 세계적으로 곡물의 재고량이 크게 증가하
였고, 그중에서도 미국의 재고량이 두드러졌다. 이러한 농산물
재고의 누적은 1970년대 이후 농산물 수출 정책을 적극적으로
전개해 온 미국 농업에 있어서는 치명적일 수밖에 없었다. 미국
의 경우, 70년대 후반에 농산물 수출 확대의 한 요인이었던 중
동 산유국과 아시아 및 라틴아메리카의 수입 수요가 80년대에
들어서면서 크게 줄어들었고, EC의 곡물 수입 감소와 중국, 동
남아시아 국가 등의 식량 생산 신장도 미국의 농산물 수출을
감소시킨 요인이 되었다. 또한 80년대 초에 미국이 소련에 대
해 취한 곡물 수출 금지 조치는 세계 곡물 무역의 흐름을 크게
변화시켰다. 즉, 캐나다와 아르헨티나의 비중이 높아졌고, 유럽
각국도 과잉 농산물 처리를 위한 수출 활동에 적극적으로 나섬
에 따라 농산물 시장을 둘러싼 경쟁과 대립이 격화되었고, 농산
물 무역 전쟁이 전개되었다.

이 과정에서 한 국가 내지 지역 차원을 중심으로 이루어졌던
농업 생산과 소비의 과정이 국경을 넘어서 이루어지게 되었고,
이를 주도하는 초국적 농기업들의 권력은 국가권력을 자신들
의 이해에 따라 좌지우지할 정도로 강력해졌다. 각국 정부가 실
시해 온 농산물 가격 지지 정책을 비롯한 여러 농업정책도 무력
화되었다. 농업 관련 산업의 초국적화는 결국 농업의 특화를 더

욱 심화시켜 환경적으로 균형 잡힌 농업을 무너뜨리고, 유전적 다양성을 감소시키고, 표준화된 생산물의 공급을 확대시킴으로써 농업 생산의 획일화를 강제하고 있다. 이에 따라 지역성이 풍부한 인간다운 식생활·식문화의 발달이라는 방향과는 반대로 획일적이고 왜곡된 방향으로 나아가게 되었다. 또한 식량 생산량이 늘어남에도 불구하고, 기아가 확대되는 모순도 낳고 있다. 선진국에서는 값싼 식료품이 풍부하게 생산되고 있지만, 기아와 식량 문제를 해결해야 하는 후진국에서는 식량의 자급을 이끄는 방향과는 반대로 종속 체제가 강화되고 있는 것이다.

제2부 **농업**과 **먹거리**의
　　　정치경제와 **대안**의 **모색**

1. 전후 세계 농식품 체계의 형성 과정

자본주의 사회 이전에는 농업 생산과 먹거리의 소비, 즉 농(農)과 식(食)은 인적, 사회적, 장소적 괴리가 크지 않은 상태에서 지역 단위로 이루어졌다. 농업 생산은 순환의 고리 속에서 이루어졌으며, 생산에서 발생하는 과부족의 해결은 특별한 경우가 아니고서는 지역 내의 시장에서 이루어졌다. 그러나 농업 생산의 비약적인 발전으로 자본주의 경제가 성립할 수 있는 물적 토대가 만들어진 이후, 공업이 지배하는 사회가 되면서 농업에서도 큰 변화가 일어났다. 농업 생산에 필요한 농기계나 비료, 농약 등을 시장에서 구입하게 되었고, 농자재의 외부 의존 심화는 농업경영비의 증가를 가져왔고, 농업경영비의 증가로 인한 농업경제의 악화는 더 많은 생산을 강요했다. 그리고 이는 시장에서의 격심한 경쟁을 유발했고, 경쟁에서 살아남기 위해서는 농자재에 대한 외부 의존의 심화라는 악순환이 반복되는 상황이 되었다. 이런 과정에서 농기계나 비료, 농약을 생산하거나 농산물의 유통을 담당하는 농기업들의 활동 영역은 넓어졌고, 이들 농기업들은 농민들에 대한 지배력을 확대해 갔다. 이에 따라 현대의 농업과 먹거리(agriculture and food, 이하 농식품 agri-food) 체계는 농업 투입 자재의 생산자로부터 농산물의 소매업자에 이르는, 그리고 생산 농민으로부터 소비자에 이르는 모든 것을 포함하는 고도로 통합된 시스템으로 변화되었다. 대다수의 농민들조차 농식품의 구매자가 되고, 자신이 소비하는 농식품들이 세계 어디에서 어떻게 만들어지는지 거의 알지 못하게 되었다. 농민으로부터 소비자에 이르는 모든 참여자들이 국경을 초월하여 서로 연결된 현대의 농식품 체제는 서로 다른 행동 규칙을 갖는 다양한 부문으로 나누어지면서도 국경을 초월하여 통합되었다. 이른바 농식품 체계가 '세계화'의 길로 들어선 것이다.

농식품 체계의 세계화

세계화(globalization)라는 단어만큼 광범하고 다양하게 사용되고 있는 사회과학 용어도 드물다. 세계화에 대한 정의는 여러 측면에서 내릴 수 있지만, 일반적으로 최종생산물뿐만 아니라 노동대상과 노동수단까지도 대상으로 하는 경제적 거래가 국민경제의 영역을 넘어서 국제적으로 확대되는 것을 의미한다. 물론 자본 운동의 국제화와 이로 인한 국제적 경제 거래의 확대는 더 많은 이윤 획득과 자본축적을 추구하는 자본주의 체제의

출발과 함께 오래 전부터 나타났던 현상이지만, 세계화는 1970
년대 이후 무역, 금융, 생산의 각 부문에 걸쳐 급속하게 전개된
국적을 초월한 세계경제의 통합 양상에서 구체화되고 있다. 즉,
1980년과 1996년 사이에 해외무역은 두 배 정도 성장한 것에
비해서, 같은 기간 동안 초국적 자본의 해외 직접투자는 세 배
나 증가했다(UNCTAD, 1993). 초국적 자본의 해외 자회사에 의
한 판매액은 수출 증가율보다 20% 이상 항상 앞섰으며, 세계
무역의 70%가량이 초국적 기업에 의해 지배되고 있을 뿐만 아
니라, 생산기술특허의 90%를 초국적 기업이 소유하고 있다. 이
런 사실을 통하여 세계화의 중심부에는 초국적 자본이 자리 잡
고 있다는 것을 확인할 수 있다. 즉, 세계화란 "국가를 초월한
자본(capital sans nationality)"이 세계적 규모로 확장되는 것을
의미하고, 국가 단위의 자본축적을 넘어서 지구적 차원에서 자
본축적이 이루어지게 되는 것을 말하고 있다(Teeple, 2000). 또,
세계화란 경제 공간의 범지구적 통합을 의미하고, 이로 인해 경
제적 권력이 지역 또는 국민 경제로부터 초국적 기업이나 초국
적 기업의 영향을 받는 다국적 기구로 이동하는 것으로 인식할
수 있다(McMichael ed., 1994).

　상품, 정보가 지구적 차원에서 이동함으로써 경제적 국경이
소멸하는 경향을 일컬어서 세계화라고 지칭하고 있지만, 세계
화란 경제학적으로는 기업 활동의 초국적화와 이에 따른 자본
이동의 자유화 및 대량화, 이를 통한 세계시장의 일체화를 의
미한다고 할 수 있다. 농식품과 관련된 시장의 경우에도 마찬

가지 현상이 일어나고 있다. 특히 1980년대 이후 식품 및 농업 부문에서 지구적 규모의 자유화가 급속하게 진행되었는데, 농식품 체계의 집중과 다국적화(multinationalization) · 초국적화(transnationalization)가 선 · 후진국을 막론하고 급속하게 진행되고 있다(Reardon, Codron, and Busch, 1999). 농식품 체계의 세계화가 진전됨에 따라 식품 체인은 서로 다른 행동 규칙을 갖는 다양한 부문으로 나눠지게 되었고, 농민으로부터 소비자에 이르는 사회의 모든 참여자들이 국경을 초월하여 서로 연결되기에 이르렀다. 서로 다른 부분들을 연결하는 역할은 초국적 기업과 국가 및 세계은행(IBRD), 국제통화기금(IMF), 세계무역기구(WTO)와 같은 조직체에 의해서 이루어지고 있다. 이러한 기능적 특화와 세계화는 가계 수준에까지 침투했다. 이 과정을 주도하는 초국적 자본은 밀과 옥수수의 가공, 동물 사료, 가금류, 낙농 제품, 과일 통조림, 씨리얼, 음료 농축액 등 음식료의 거의 전 부문에서 사업을 전개하고 있을 뿐만 아니라, 종자 및 비료, 농약과 같은 농업 생산 자재 산업에도 진출하여 농업 생산과 관련된 사업 전반에 진출해 있다(Glover and Kuster, 1990).

세계 농식품 체계의 재구조화와 녹색혁명

세계 농식품 체계는 세계 자본주의의 축적 양식의 변화와 패권국의 요구에 의해서 재구조화되는 과정을 거쳤다. 19세기 말 영국이 '세계의 공장(workshop of the world)'으로서 기능하던 시기에는 신대륙의 여러 나라들(미국, 캐나다 호주 등)이 유럽 중심부 국가들에게 밀과 육류를 공급하는 국제분업에 기초해 세계 농식품 체계가 형성되었다(송원규 외, 2012). 영국을 비롯한 유럽 중심부 국가들은 신대륙의 여러 나라들로부터 공급된 값싼 식량을 바탕으로 값싼 노동력의 사용이라는 대가를 얻었다. 값싼 노동력을 통한 자본축적이 이 시기의 기본적인 메커니즘이었다고 할 수 있다. 당시의 농식품 체계는 식민지나 신대륙으로부터 값싼 식량을 공급받아 노동력의 재생산비를 줄임으로써 자본의 '외연적 축적'을 보다 수월하게 했다. 이후에는 단순히 노동 비용의 저하가 아니라 대량생산-대량소비의 포드주의 체계를 통해 자본축적을 소비 관계 내부로 흡수하는 '내포적 축적' 메커니즘이 농식품 체계의 핵심이 되었다고 할 수 있다.

또한, 제2차 세계대전 이후의 세계 농식품 체계는 미국의 패권 유지를 위한 미국식 '발전주의(development project)' 및 미국식 자본주의의 전파를 통해 재구조화되었다고 할 수 있다. 경제 발전에서 19세기 영국은 자유무역을 통한 농산물의 조달이라는 외향적인 개발 모델을 추진했던 반면, 20세기에 미국은 제조업과 농업 부문의 국내적 통합에 기초를 둔 새로운 개발 모델을 추진했다. 미국식 모델의 제3세계로의 전파를 위해 잉여농산물의 원조가 이루어졌으며, 이를 통해 제3세계 국가들은 값싼 식량-값싼 노동력을 통한 미국식 경제 발전의 경로를 밟았고, 이는 식량에서 미국에 대한 장기적 의존으로 귀결되었다.

세계 농식품 체계가 미국을 중심으로 재편된 계기는 제2

차 세계대전 이후 미국이 유럽과 동아시아 등 전략 지역에 잉여농산물을 원조 물자로 활용하면서 시작되었다고 할 수 있다. 이는 미국의 잉여농산물을 해외에서 처리하는 해외 원조라는 새로운 메커니즘을 통하여 이루어졌는데, 그 대표적인 예가 PL480호(Public Law 480, Agricultural Trade Development and Assistance Act of 1954, 농산물무역촉진원조법)에 의한 식량 원조였다. 이미 미국은 2차 세계대전 이후 자국의 정치적 패권 강화와 잉여농산물 처분이라는 두 가지 목적을 달성하기 위해 대외 식량 원조를 제공해 왔다. 과거에는 군사원조를 중심으로 하는 것이었다면, 1954년에 성립된 PL480호는 잉여농산물의 원조를 중심으로 했다. 그리고 PL480호는 농산물 원조를 농산물 수출 확대를 위한 수단으로 활용하는 것을 지향하고 있었다. PL480호에 의한 식량 원조는 전적으로 잉여농산물의 처리와 수출 진흥을 위한 대외 원조 정책이었기 때문에, 대외 원조 예산이 삭감될 때에도 PL480호에 의한 식량원조는 농산물의 수출에 관련되어 있다는 이유만으로 무풍지대에 놓여 있었다(川口融, 1980). PL480호에 의한 개발도상국에 대한 식량 원조는 거대 곡물 상사와 식품 가공 대기업(예를 들면, 곡물 제분 회사)을 비롯한 농업 관련 기업이 해외 활동을 전개할 수 있는 조건을 만들었는데(增田猛, 1979), 거대 곡물 상사는 당시 식량 원조 업무의 대부분을 담당함으로써 성장의 계기를 마련하였다.

1970년대 들어 미국은 세계적 패권 유지를 위한(특히 베트남전의 수행) 비용 상승으로 인해 막대한 국제수지 적자를 감당해야만 했다. 미국은 국제수지 적자를 타개하기 위해 이전까지 잉여농산물의 관리 수단에 불과했던 농산물의 수출 및 원조 정책을 상업적 수출 정책으로 전환하는 '그린파워' 전략을 택했다. 농산물의 상업적 수출을 확대하기 위한 미국 정부의 적극적인 정책(예를 들면, 수출 상대국에 대한 강력한 개방 요구와 자국 농산물에 대한 보조·융자 등의 수출 조성 조치, 해외에서의 미국산 농산물 전시회 개최)은 거대 곡물 상사의 해외 활동을 지탱해 주는 수단으로 이용되었다.

1972년의 세계적 식량 위기는 세계 농식품 체제에도 두드러진 변화를 가져오는 일대 사건이었다. 기상이변으로 세계적인 흉작이 발생하자, 구소련 정부는 곡물의 대량 수입으로 노선을 전환하였다. 이로 인해 세계 농산물 시장은 오랜 기간 동안 지속되었던 과잉 기조에서 탈피하여 부족 상태로 전환되었고, 농산물 — 특히 곡물 — 가격은 급등하였다. 이를 계기로 카길(Cargill), 콘티넨탈 그레인(Continental Grain), 벙기(Bunge Corp.), 루이 드레피스(Louis Drefus), 쿡(Cook Industries) 등 당시 5대 곡물 메이저는 미국 곡물 수출의 75%, 세계 곡물 무역량의 40%까지 차지하는 과점 체제를 형성하게 되었다. 이들은 국내외의 강력한 집하·저장·수송 조직과 CIA를 앞세운 정보 수집력을 바탕으로 본사의 집중적인 관리·통제 하에 세계시장 진출을 적극적으로 꾀했다(井野隆一, 1988). 초국적 농식품 복합체들의 성장에는 미국의 농산물 원조 정책이 큰 역할을 했다. 마셜플랜과 그 이후의 농산물 수출을 위해 미국 정부가 지급한 보조금의 혜택은 수출을 담당한 농업 관련 기업에 돌아갔다 (Gardner, 2009). 대표적인 것이 유엔 구제재활보건국(UN Relief and Rehabilitation Agency) 프로그램과 마셜플랜에 의한 밀과 밀가루의 원조와 수출이었다. 이때 카길을 비롯한 곡물 메이저들은 곡물 저장과 수송을 담당하면서 큰 이윤을 남겼다(닌, 2004).

당시 베트남 전쟁을 수행하면서 전쟁 비용의 상승과 1974년의 석유 위기로 인해 경제적 어려움을 겪고 있던 미국의 상황에서 그린파워 전략(식량을 외교적, 정치적, 경제적 수단으로 활용하는 전략)은 매우 유효한 전략이었다고 할 수 있다. 첫째, 당시 구소련의 심각한 곡물 생산 부족 문제는 농산물 가격의 급격한 상승을 유도했고, 이를 통해 미국은 석유 가격의 상승을 일부 상쇄할 수 있었다. 둘째, 브라질, 멕시코, 한국과 대만 등의 신흥공업국들에는 미국식 식습관이 도입되었고, 이에 따른 밀과 육류 소비 증가는 미국 농산물에 대한 수요 증가로 이어졌다. 이와 같은 국제적 요인으로 말미암아 미국의 농가 소득은 1972년부터 1974년까지 최고치를 기록했고, 1972년부터 1976년까지는 농가 소득 증가율이 국민소득 증가율을 앞섰다. 또한 미국의 작물 수입액 중 수출이 차지하는 비율은 1960년 24%에서 1983년 53%에 이르렀다.

또한, 1960년대부터 70년대에 걸친 녹색혁명을 비롯해 미국 등 선진국 정부와 세계은행 등 국제기구가 추진해 온 개발도상국에 대한 농업 개발원조는 농업 관련 기업의 현지 진출과 자원·시장 지배를 위한 환경을 정비하는 역할을 수행했다. 녹색혁명은 멕시코 농림부와 록펠러(Rockfeller)재단이 옥수수 재배 프로젝트를 시작한 1943년에 시작되었다고 할 수 있는데, 그후 국제미작연구소(IRRI: International Rice Research Institute)에 의해 IR-8과 같은 다수확 벼가 개발되면서 본격화되었다. 이 녹색혁명은 쌀, 소맥, 옥수수 등 3대 작물의 다수확 개량 품종, 관개, 화학비료와 농약, 그리고 이들을 결합하는 관리 기술을 구성 요소로 하는 일련의 기술 체계의 개발과 보급이라고 할 수 있다. 녹색혁명은 화학비료와 농약에 의존하면서 다수의 토착 곡물을 소수의 고수확 작물로 대체하도록 제3세계의 농민들을 정부와 기업이 설득한 대규모 캠페인이었다. 녹색혁명이 활발하게 추진된 1963-83년의 20년 동안 후진국의 쌀, 소맥, 옥수수의 총생산이 각각 연평균 3.1%, 5.1%, 3.8%의 증가율을 보여, 세계 곡물 생산은 1960년대 초에서 1980년대 중반 사이에 배 이상 증가했다(FAO, 1996).

그러나 이러한 성과와 함께 다양한 피해가 지적되고 있는데, 예를 들면 관개에 따른 염해 현상, 고수확 품종의 보급에 따른 유전적 다양성의 상실, 화학비료나 농약의 과다 투입에 의한 토양·수질 오염 등의 환경문제, 생산비용의 상승에 따른 경영 압박, 그리고 기술 보급 및 소득분배와 같은 지역·계층 간의 사회경제적 문제 등으로 말미암아 녹색혁명은 시간이 흐름에 따라서 지속가능한 것이 아니라는 사실이 밝혀지게 되었다. 또한, 높은 수확량으로 인해 지역에서 동물 사료로 이용하던 지푸라기의 양이 줄어들었다. 그리고 과거에는 간작(intercropping)

으로 지력을 유지하던 것도 불가능하게 되었다(Chataway, Levidow, and Carr 2000). 이와 함께 농약과 관련된 질환이 급격하게 증가하여, 1990년 세계보건기구에 따르면, 매년 2천5백만 명의 사람이 직업적인 농약 중독에 노출되었고, 목숨을 잃은 22만 명 중 99%가 제3세계 사람들이었는데, 이들 국가에서는 선진국에서는 판매가 금지되어 있던 농약들이 초국적 기업에 의해 판매되었다(Anderson, 2000). 유전적 다양성도 크게 훼손되어, 세계 인구가 섭취하는 칼로리의 90%가 불과 30종의 작물에 의존하기에 이르렀다.

아시아를 중심으로 미맥 등의 고수확 품종 도입을 근간으로 전개된 녹색혁명의 경우도 예외는 아니다. 각 지역에서 비약적인 생산 확대를 가져온 것은 사실이지만, 관개시설, 건설자재 등의 투입을 불가피하게 함으로써 농업 자재 시장의 개척을 겨냥한 다국적 농업 관련 기업의 지배가 강화되었다. 이를 계기로 현지 농민의 계층 분화가 이루어져 경제력이 약한 다수의 중소 농민의 탈락·이농이 촉진되었다. 화학비료나 농약의 과다 투입과 농업기계의 도입, 관개시설의 정비 등은 이들 투입재를 개발하여 생산·판매하는 농업 관련 기업의 관여를 전제로 하는 것이었고, 이로 인해 전통적인 농촌공동체의 후진국 농민들을 자본주의적 시장경제에 급속히 편입시킴으로써 다국적 농업 관련 기업에 거대한 시장을 제공했다. 이 과정에서 식품 가공과 판매를 중심 사업 분야로 했던 곡물 메이저들은 녹색혁명을 지탱하는 종자의 생산과 개발, 농업기계·화학비료·농약 등의 제조 부분에까지 진출하여 농업 식량 시스템 전 과정을 관리하는 성격이 강화되었다.

우루과이라운드와 바이오테크놀로지 혁명

미국 패권 체제의 쇠퇴와 신자유주의의 등장은 세계 농식품 체계에도 커다란 변화를 가져왔다. 가장 중요한 변화는 세계 시장이 표준화된 규범으로 자리 잡은 것이다. 국제기구들에 의해 시장 규범이 강제되었고, 이로 인해 그동안 국민국가 차원에서 이루어졌던 농업·농민 정책들이 해체되고 가족농·소농들은 심각한 재생산 위기에 빠지게 되었다. 또한 농산물의 수급에 있어서도 자국 농민에 의해 생산되어 자국 소비자에 의해 소비되던 방식이 급격하게 해체되었다(김철규, 2008). 이러한 변화는 농산물의 상업적 수출을 통해 그린파워 전략을 추진하던 미국에게 커다란 기회를 제공했다.

원래 미국은 자유무역을 표방하면서도 농업에 대해서는 보호 정책을 실시했다. '관세 및 무역에 관한 일반협정(GATT: General Agreement on Tariffs and Trade)' 체제에서도 농업에 대해서는 특수한 지위, 즉 자유무역에 대한 예외 조치를 부여한 것도 미국의 농업 보호 정책 때문이었다(박진도, 1995). 앞서 언급한 것처럼, 1970년대 이전까지 미국은 1933년의 농업조정법 이후로 가격 및 소득 지지와 수입 제한을 통해서 국내 농업을 보호하고, 이로 인해 발생하는 잉여농산물은 원조와 수출을 통해 해결했다. 하지만 베트남 전쟁 비용의 부담과 재정 적자를 해결하기 위해 미국은 농산물의 상업적 수출을 목적으로 하는 그린파워 전략을 수립했고, 이 전략의 성공을 위해서 농업의 자유무역에 대한 예외는 불가피하게 수정되어야만 했다. 그 귀결이 바로 1986년의 GATT의 우루과이라운드(UR: Uruguay Round)였다. 미국은 UR을 통해 두 가지 목적을 달성하고자 했다. 하나는 쇠퇴하는 패권적 지위를 대신해 미국의 뜻을 강제할 수 있는 메커니즘의 확보였고, 다른 하나는 세계 곡물 시장에서 유럽에 의해 위협 받는 미국의 그린파워 전략의 강화였다(McMichael, 1992).

1960년대까지만 하더라도 지역적인 자급 경향이 강했던 곡물 생산은 1970년대 중반 이후 세계 교역의 변방에서 벗어나기 시작한다. 70년대 이후 아시아와 아프리카 여러 나라의 수입량이 급속도로 증가하여 곡물에 관해서는 세계의 절반이 수입국으로 되었다. 주요 곡물 수출국이 아메리카 대륙과 호주로 집중된 것은 80년대 이후의 특징이라고 할 수 있다. 세계 곡물 시장에서 수출을 맡고 있는 나라는 미국, 캐나다, 브라질, 아르헨티나, 호주 등 소수의 국가에 한정되어 있다.

특히, 미국계 농식품 관련 기업의 초국적화에 박차를 가한 것은 1980년대 미국에서 발생한 농업 불황과 세계경제의 세계화와 지역주의라고 할 수 있다. 레이건 정부 당시 고달러화 정책으로 미국 농산물은 국제시장에서 다른 수출국에게 자리를 내주게 되었고, 이로 인한 농업에서의 타격은 금융기관뿐만 아니라 미국의 농업 관련 업계에도 영향을 미쳤다. 미국의 농산물 수출 부진은 곡물 메이저에게 큰 영향을 미쳐 수출 감소에 따른 곡물 엘리베이터(elevator)의 조업단축을 가져왔을 뿐만 아니라, 곡물 거래를 중심으로 하는 사업 전략으로부터 탈피하여 다른 영업 분야로 전환을 모색하는 계기가 되었다(中野一新, 2001).

농업 관련 기업은 대외 직접투자(Foreign Direct Investment), 기업 내 무역(Intrafirm Trade) 및 복수국 국내 기업 전략(Multinational "Multi-domestic" Strategies) 등을 통하여 초국적화를 급속하게 진척시켰다. 첫째, 미국은 농업 자재 부문에서는 농식품 수출 기지로 급성장하고 있는 남아메리카를 비롯한 신흥 농업국에 대한 진출을 확대했다. 둘째, 각 생산공정을 각국의 여건에 맞추어서 분담시키는 체제로 전환하는 작업을 진행시켰다. 예를 들면, 노동 집약적인 부분은 임금이 낮은 나라로, 환경 부하가 큰 부문은 환경 규제가 느슨한 나라로, 기술 집약적인 부분은 본국에 배치하는 전략을 구사하게 된다. 나아가 이전 가격(transfer price) 설정을 통한 이윤의 극대화(관세, 과세, 각종 규제 등의 격차를 이용), 조세 회피 등 국경을 활용한 여러 가지 비용 절감이나 이윤 형성의 방법을 도입함으로써 초과이윤의 획득을 꾀했다. 또한 농식품의 경우, 공산품과는 달리 국제적 생산공정을 일괄적으로 설계하는 것은 여전히 어렵기 때문에, 원료 생산과 식료품 소비의 단계에서 지역색을 띠지 않을 수 없다. 이로 인해 현지 생산-현지 소비형의 복수국 국내 기업 전략도 병행해서 이루어졌다.

한편, UR에서 진행된 무역관련지적소유권(TRIPs: Trade Related Intellectual Properties) 협정은 이른바 '바이오메이저'들이 농업을 완전하게 지배할 수 있도록 만들었다. 1986년에 시작된 우루과이라운드는 농산물 무역자유화와 함께 TRIPs라는 이름으로 종자 관련 특허권 보호를 중심 의제로 채택했는데, '자유화'라는 틀 속에서 진행되었던 협상이었지만, 자본에 대한 이윤의 '보호'가 그 핵심이었던 것이다. 이로 인해 자유무역을 철저하게 옹호해 왔던 바그와티(Bhagwati, 2004)조차 WTO를 "로열티 수금원(royalty-collection agency)"이라며 비판을 가하고 있다. 인류 공동의 유산, 즉 자유롭게 이용 가능한 공적 재화로서 남아 있어야 했던 유전자원이 상품의 형태로 농민들에게 도달함으로써, 종자가 이제는 농민 스스로에 의한 재생산 과정에서 분리되어 철저하게 종자 업체의 지배하에 들어가게 된 것이다. 이러한 과정에서 종자 업체 간의 인수 · 합병이 치열하게 전개되었고, 이로 인해 종자 시장의 집중도는 급속도로 높아졌다. 1995년에 37%에 불과했던 상위 10대 기업 점유율이 2010년에는 70%를 넘어섰다. 특히 몬산토(Monsanto)와 듀퐁(Dupont), 신젠타(Syngenta) 등 3대 업체의 시장점유율은 50%를 초과했고, 세계 최대의 종자 회사인 몬산토는 세계 종자 시장의 1/4 이상을 지배하고 있다. 그 결과, 가난한 농민들은 스스로 종자를 통제할 수 있는 능력을 상실하게 되었고, 초국적 농식품 복합체가 지배하는 값비싼 기술에 의존하게 되었다.

이들 바이오메이저들은 유전공학 기술과 종자 기술을 결합하

여 유전자조작(GM: Genetically Modified) 종자의 개발과 보급에
박차를 가했다. 그러나 GM 작물의 안전성에 대한 검증이 제대
로 이루어지지 않은 상황에서 서둘러 상업화가 이루어졌기 때
문에 그것의 안전성에 대한 논란은 당연한 것이었다. 더욱이 논
란이 되고 있는 부분에 대하여 GM 작물 개발 업체는 영업상의
이유로 개발 방법을 비롯한 GM 작물 관련 정보의 대부분을 비
밀에 붙이고 있을 뿐만 아니라, GM 작물의 안정성 평가 역시
개발 업자가 제시하는 아주 제한된 범위의 자료를 근거로 할
뿐이다. 또한, 국제 농업 개발 사업도 다국적 농업 관련 기업과
종자 사업의 접점을 세계적 규모로 만든 계기가 되었다.

   농약 회사나 약품 회사가 종자 회사를 매수함으로써 연구의
성질도 변화하게 되고, 국내적으로도 국제적으로도 공적 부분
이 과제를 수행하는 일은 급격하게 축소되었다. 1980년대에 들
어서면서 바이오테크놀로지의 상업적 이용 가능성이 높아지자
많은 벤처기업이 설립되었지만, 결국 종자 기업과 함께 다른 분
야를 포함하고 있는 다국적기업에 서서히 매수되어 갔다. 이 과
정에서 종자 기업이 보유한 유전자원이나 벤처기업이 보유하고
있던 기초 기술의 선점이 이루어졌다. 바이오테크놀로지는 사
적 부문의 연구 개발(R&D)에 강하게 지배받았기 때문에 미처
성숙되기도 전에 빠르게 상업화되어 버렸다. 즉, 막대한 자본이
득에 대한 가능성을 확인한 미국의 벤처에 의해서 검증되지 않
은 상업화가 경쟁적으로 이루어졌고, 그것은 초국적 자본들 사
이의 치열한 싸움터가 되어 버렸다.[1] 1970년대 후반부터 초국

적 기업과 벤처 캐피탈 기업들은 소규모 유전공학 기업들에 대한 투자를 시작했으며, 최근에는 유전자조작 종자와 식품에 관련된 부분에 투자를 집중하고 있다(Gibbs, 2000). 이러한 흐름은 바이오테크놀로지를 이용하여 다양한 지적재산권을 소유하고 있는 파이오니어 하이브레드(Pioneer Hi-Bred), 디캘브(Dekalb), 마이코젠(Mycogen) 등이 노바티스(Novartis), 몬산토, 듀퐁, 다우(Dow)와 같은 화학 업체에 합병되고, 이들 기업은 또 유전자조작 식품을 최종적으로 가공하는 콘아그라(ConAgra), 카길, ADM에 조인트벤처를 통해서 합병되고 있는 것에서도 확인된다.

그런데 연구 개발 과정에 시장 원리가 침투하여 본래 '공공재'로 취급되어야 할 기초연구 영역까지도 '산업 경쟁력'이라는 이름 아래 사적 영역으로 포함되는 경향이 강화되고 있다. 바이오테크놀로지 혁명에서 나타나는 가장 중요한 특징은 기술혁신과 보급에 있어서 사적 독점화가 진행되고 있다는 점이다. 그나마 과거의 녹색혁명은 공적인 국제 농업 연구 조직에 의해 중개되었는데, 현재의 바이오테크놀로지의 개발과 보급은 소수의 초국적 기업에 의해서 지배되고 있으며, 공적인 연구 기관이 오히려 뒤쫓아가는 형상이 되어 버렸다(Sorj and Wilkinson, 1994). 더욱이 바이오테크놀로지 혁명이 그동안 고투입 농업을 주도해

---

1. 사적 섹터는 이윤에 의해서 움직이기 때문에 사회적 혜택을 보다 많이 가져오지만 별로 돈벌이가 되지 않는 이른바 "고아곡물(orphan crops: 카사바, 수수, 감자 등 저개발국의 가난한 사람들의 중요 식량)"은 소홀히 취급한다(Arends-Kuenning, 2000).

왔던 동일한 기업들에 의해서 추진되고 있다는 것에 주목할 필요가 있다. 그들은 유전자조작 식물에 의해서 화학 집약적인 영농을 줄이고 더욱 지속가능한 농업을 개발하는 것이 가능하다고 주장한다(알티에리, 2006). 그러나 맹독성 제초제와 제초제에 내성을 가지고 있는 GM 종자가 묶음으로 판매되는 현실에서 농민들의 선택지는 더욱 줄어들고 있으며, 수확량이 크게 증가될 것이라는 업체들의 약속은 지켜지지 않고 있다.

괴물의 탄생과 먹거리 위기

이런 점에서 UR 협상은 이른바 초국적 농기업들이 농업을 완벽하게 지배할 수 있는 길을 열어 주었다고 할 수 있다. 이런 가운데 극히 제한된 생물 종과 품종에 의존하는 농식품 체계가 되어 버렸다. 세계 최대의 식량 생산국인 미국에서는 생산성의 비약적인 성장과 함께 농산물의 품종 단일화가 급속하게 진행되어 유전적 기반이 극히 협소하게 되어 버렸다. 1903년 당시 농무부에 등록된 상업 작물 중 96%가 멸종했는데, 배추는 93%, 옥수수는 96%, 토마토는 95%, 아스파라거스는 98%가, 사과 종자의 85%, 상추 종자의 90%가 지난 1세기 동안에 사라졌다(Kimbrell, 2002). 단 한 종의 젖소로부터 거의 모든 우유가 생산되고, 단 한 종의 암탉에서 거의 모든 계란이 생산된다(Lappe and Terry, 2006).

따라서 전형적인 대형 마트에서 볼 수 있는 엄청나게 다양한 제품들은 여러 가지 선택을 가능하게 하지만, 그 다양함의 대부분은 농업의 진정한 다양성이 아니라 수없이 많은 브랜드의 다양성에 불과하다. 이는 상이한 지역 작물들을 생산하는 수많은 농민들로부터 비롯된 것이 아니라, 권력을 가진 소수의 농식품 복합체들이 이윤을 극대화하기 위해 전 세계적으로 표준화하고 또 선택한 것에 지나지 않는다. 따라서 그것은 외견상의 식탁의 다양화와는 정반대로 생태계의 다양성의 상실을 표현하는 것에 지나지 않는다. 국제분업의 진전에 따라 집중화·획일화가 세계적 규모로 진행되고 있는 것이다. 이처럼 현대의 세계 농식품 체계는 여러 가지 사회적, 경제적, 환경적 문제들을 야기하고 있다. '농장에서 입까지(from land to mouth)' 또는 '종자에서 식탁까지(from seed to table)' 이르는 과정에 개재하는 자본들의 영역 확대가 지역 및 국경을 초월하여 이루어지면서 세계 곡물 시장의 안정성이 훼손되고, 먹거리의 안전성과 농업의 지속가능성, 농촌공동체의 유지 등이 동시에 위협받고 있는 것이 현재의 상황이다(윤병선, 2008). 위기의 증후는 농장과 농민 수의 감소, 농촌 경제의 빈곤화와 소도시의 몰락, 소비자의 먹거리 지출액(food dollar) 가운데 농민에게 돌아가는 몫의 감소, 토양침식, 수질오염, 생물 종 다양성의 감소 등으로 나타나고 있다(헨더슨, 2006). 생산의 관점에서 보면, 여러 나라의 농업·식품 부문을 통합하는 것은 생산 지역에는 사회적, 경제적 혼란을 가져오게 된다. 세계화된 시스템을 위한 생산은 지역 경제의 확대나 지역의 식품 필요성과는 점점 괴리되게 된다. 더욱이 세계 농식품 체계는 에너지와 자원을 과소비하는 농법에 의존하는 녹색혁명형 농업에 기반을 두고 있다. 지역적 특화에 기반을 두고 있는 환경 훼손형 농업일 뿐만 아니라, 거대 자본이 지배하는 외부 자원에 의존하여 이루어지는 자기 수탈형 농업이기도 하다. 녹색혁명은 다수확품종의 대규모 단일 재배와 화학비료나 농약의 대량 투입을 가져왔고, 그 결과 단기적으로는 수확량의 증대를 가져왔지만, 병충해에 대한 저항력을 약화시켜 더 많은 농약에 의존하게 만들었고, 토양오염, 지력 저하를 가져왔다. 즉, 토양의 보수력이나 통풍성, 통수성도 저하되고, 염류 집적을 가져오고, 표토 유실을 초래하고 있다.

이처럼 불안한 국제 곡물 시장에 의존해서는 안전한 먹거리의 안정적인 확보는 말할 것도 없고, 기아 문제의 해결도 기대하기 어렵다. 오히려 농산물 무역자유화는 완전히 정반대의 결과를 낳았다. 북미자유무역협정(NAFTA)이 체결된 1994년 이후, 멕시코는 미국과 세계 각지에서 더 많은 옥수수를 수입하고 있다. 중남미는 농민들이 지역에서 소비하는 주식 작물이 아니라 외국에 수출할 베이비 브로콜리, 당근 등을 재배하면서 지역 공동체가 파괴되었다. 아프리카의 경우, 가나의 삼림지대인 아샨티에서는 영국의 초콜릿 공장을 위해 자급할 곡물 대신 카카오 농사를 지어야 했고, 탄자니아에서는 사이잘삼을, 부룬디와 르완다에서는 차 농사를 지어야 했다. 그리고 세네갈에서는 땅콩 농사에만 매달리도록 강요받았다(지글러, 2007). 식민지 지배를 통해서 강요받았던 기호 식품 위주의 단작 재배가 오늘의

기아로 연결된 것이다. 브라질의 경우는 세계 3대 농산물 수출
국이지만, 생산되는 곡물의 3분의 2가 가축의 사료로 쓰이면서
매년 수만 명의 어린이들이 굶어 죽는다(라페, 2005).

그리고 이러한 세계 농식품 체계의 수혜자들은 가공, 포장,
마케팅에 나서는 거대 기업들이다. 이런 가운데 초국적 농식품
복합체들은 농민들에게 단지 식재료(원료 농산물)만 생산하도록
하면서, 다른 연결 고리들은 먹거리 공급망 내의 다른 행위자에
게 남겨 둘 것을 강요하고 있다. 그 결과는 선진국에서조차 참
담한 결과를 가져왔다. 미국의 경우, 소비자가 먹거리에 1달러
를 지출할 때 농민에게 돌아가는 몫은 1910년에는 40%를 상회
했던 것이 1997년에는 7센트를 조금 넘는 정도로 급감했고, 1
달러로 빵 한 덩어리를 사면 보통의 미국 밀 재배 농민에게 6센
트가 돌아가고, 포장업자에게도 같은 금액이 돌아간다(헬웨일,
2006).

세계 농식품 체계는 먹거리의 안정적인 확보뿐만 아니라, 먹
거리의 안전성이나 건강의 문제도 야기한다. WTO 체제의 출범
으로 각국마다 달리되어 있던 농약이나 화학물질의 잔류량에
대한 규제치를 보다 완화하여 통일하고, 농산물 무역 장벽을 낮
춤으로써 무역 자유화를 확대 강화해 가고 있다. 본래 농산물은
각국의 자연·풍토·역사·문화 등에 의해 재배되어 온 만큼 먹
거리의 지역성과 고유한 식문화를 유지해 왔고, 거기에서 살고
있는 사람들에게 영양과 건강을 제공해 왔다. 그럼에도 불구하
고 WTO는 이를 무시하고 '세계의 시장화'를 위해 규제를 철폐

해 왔다. 경제의 세계화는 먹거리의 세계화를 촉진했고, 이로 인해 먹거리도 균일화되어 갔다. 값싼 수입 농산물이나 냉동 수입 식품이 대량으로 유입되면서 안전성이 의심되는 먹거리가 국내 시장을 석권하고, 잔류 농약이나 식품첨가물로 오염된 먹거리가 대량으로 유통되어 먹거리의 불안이 한층 고조되고 있다.

'새로운 독재'를 향한 질주: WTO, FTA, TPP

며칠 전 외신들은 프란치스코 교황이 '규제 없는 자본주의'를 '새로운 독재'라며 비판했다는 소식을 전했다. "사제로서의 훈계"라는 제목의 문서에는 '새로운 독재'라는 용어 이외에도, 현재의 지구적 경제 시스템을 한마디로 '돈에 대한 숭배'로 규정하면서, 모든 시민이 존경받을 수 있는 직업, 교육, 건강을 보장받아야 한다는 호소도 담고 있다고 한다.

"규제 없는 자본주의는 새로운 독재다"

역사가 격랑에 휩싸일 때나 많은 사람들이 고통을 받고 있을 때면 교황들은 세속을 향해서 의미 있는 화두를 보냈기 때문에 프란치스코 교황의 '훈계'가 새삼스러운 것은 아니다. 1891년에 레오 13세 교황은 '레룸 노바룸'이라는 제목의 문서를 통해서 19세기 말의 심각한 사회문제를 "자본주의의 폐해와 사회주의의 환상"이라는 말로 함축해서 표현했다. '레룸 노바룸'은 '새로운 사태'라는 말로 번역할 수 있는데, 레오 13세 교황은 자본주의 하에서는 대다수 노동자들이 비참한 생활을 해야 하는 상황이 존재하지만, 이로 인해서 사람들이 사회주의에 대해서 갖는 환상 ― 비참한 상황은 사라지고 조화와 정의가 지배하게 될 것이라는 환상 ― 에 대해서 강력하게 경고했다. 자본주의가 폐해를 가지고 있는 사회이기는 하지만, 사회주의가 자본주의의 폐해를 치유해 주지는 못한다는 점을 명확하게 했던 것이다.

그로부터 100년이 지난 1991년에 요한 바오로 2세 교황은 '새로운 레룸 노바룸'을 내면서 '사회주의의 폐해와 자본주의의 환상'이라는 말로 경각심을 불러일으켰다. 과거의 사회주의 국가들 대부분이 자본주의 체제로 돌아서고 있으나, 자본주의 국가들도 사회주의 국가와 마찬가지로 내부에 다양한 문제를 가지고 있다는 사실을 인식해야 한다는 것이 내용의 요지이다.

요한 바오로 2세가 말한 '자본주의의 환상'이라는 말은 다름 아닌 신자유주의 세계화에 대한 환상이라고 할 수 있다. 신자유주의 세계화는 자본시장의 자유화, 자유무역의 확대, 정부 규제의 축소로 요약되는 "규제 없는 자본주의"의 첨병이라고 할 수 있다. 그리고 그것의 첫 번째 귀결은 WTO(세계무역기구) 체제였다. 자유무역을 지지하는 대표적인 경제학자 바그와티조차 WTO가 종자 업체나 농약 업체 등의 '로열티 수금원'으로 전락했다고 비판할 정도로 자본에게만 자유를 주는 체제가 출범한 것이다.

WTO의 끊임없는 진화

WTO 체제는 완결된 모습으로 출범한 것이 아니었고, 따라서 후속회담을 통해서 자유무역의 폭을 지속적으로 확대하기 위한 논의가 계획되었다. 그것은 세계 여러 지역 — 싱가포르, 제네바, 시애틀, 도하, 칸쿤, 홍콩 등 — 에서 연이어 개최된 WTO 각료회의였다. 그러나 이 각료회의의 여정은 순탄치 않았다. WTO 체제를 통해서 자국 농산물의 수출이 확대될 것으로 생각했던 많은 저개발국들은 WTO 출범 당시 선진국이 약속했던 농업 보조금 축소가 기만적인 정책이었다는 것을 목도하게 되었다. WTO가 자본에게는 더 많은 자유를 가져다주었지만, 대다수 농민들에게는 더 많은 구속을 강요하고 있다는 것에 대한 강력한 저항이 각료회의가 열리는 세계 곳곳에서 일어났다. 시애틀과 칸쿤, 홍콩에서 그러했다. 이후 2008년의 글로벌 금융위기를 계기로 세계 곳곳에서 일어난 "1%의 탐욕에 대한 99%의 분노"도 질주하던 신자유주의 세계화를 잠시 가로막기도 했으나, 최근 세계 경제 위기에 대한 불안감이 잠시 수면으로 가라앉는 분위기에 편승하여 '규제 없는 자본주의'가 그 모습을 드러내고 있다.

제9차 WTO 각료회의와 TPP

12월 3일부터 6일까지 인도네시아 발리에서 제9차 WTO 각료회의가 열리고 있다. 2003년의 칸쿤 각료회의 이후 별다른 진전을 보이지 못하고 있는 상황에서 열리는 이번 각료회의에서는 무역 촉진, 농업 분야, 최빈국대우가 논의의 중심이다. 농업 분야와 관련해서 2007~8년 세계적 식량 위기를 겪은 상황이 이번 논의에 얼마나 심도 있게 반영될지 모르겠지만, 2007~8년 세계적 식량 위기의 가장 큰 수혜자는 바로 WTO 체제의 출범으로 가장 큰 이익을 본 초국적 농기업들이라는 점에서 큰 변화가 있을 것으로 기대하기 어렵다.

이런 가운데 한국 정부는 TPP(환태평양경제동반자협정)에 참여를 심각하게 고려하고 있다는 소식이 들린다. TPP는 미국이 아시아·태평양 지역에서 영향력을 확대하기 위해서 주도하는 다자간 무역협정으로, 미국은 농산물을 포함한 상품 무역의 자유화는 물론, 서비스·투자, 지적재산권, 규범 등의 분야에서 높은 수준의 개방을 추구하고 있다. 더 큰 문제는 TPP에서 미국은 한·미 FTA를 아시아·태평양 지역의 무역 규범으로 삼으려고 한다는 점이다. 이러다 보니 일본 내에서조차 TPP가 끼칠 해악에 대한 우려가 진작부터 제기되었다. TPP가 체결되면 농산물 무역뿐만 아니라, 미국산 쇠고기 수입 제한 조치나 식품첨가물의 규제, 잔류 농약 기준, 수입 검역 조치, 유전자조작 식품의 의무 표시 등을 '비관세장벽'으로 공격하고, 이에 대한 완화 내지 철폐를 주장할 것이기 때문이다. 세계 곡물 수입량의 10%를 세계 인구의 2%에 불과한 일본이 수입하고 있는 상황에서,

TPP가 체결되면 아시아의 기아인구가 3억 명 가까이 증가할 것이라는 예측이 일본에서 나오고 있다.

이처럼 '규제 없는 자본주의'의 해악이 농업뿐만 아니라 식탁까지 위협하고 있음에도 불구하고 우리의 힘은 그다지 크지 않다. 그래서 교황은 이를 "새로운" 독재라고 말했는지 모르겠다.

윤병선, 『한국농어민신문』, 2013. 12. 5.

2. 농업과 먹거리를 지배하는 거인
— 초국적 농식품 복합체

　현재 우리는 역사상 그 어느 때보다 풍부한 먹거리 시대에 살고 있다. 지금 지구에서 생산되고 있는 먹거리의 양은 그 어느 시대보다 많다. 지구에서 살고 있는 사람의 수도 그 어느 시대보다 많지만, 1인당 소비량도 그 어느 시대보다 많다. 그런데 사람들이 소비할 수 있는 먹거리의 양이 많아졌다고 해서 먹거리로 인한 고민이 없어진 것은 결코 아니다. 그 어느 때보다 풍부한 먹거리 시대라고 하지만, 먹거리의 부족으로 인해서 고통받고 있는 사람은 10억 명에 달한다. 기아선상에서는 벗어났다 하더라도 삼시 세끼를 온전하게 해결하지 못하는 사람은 부지기수에 이른다. 먹거리가 많이 생산되었다고는 하지만, 먹거리의 부족으로 인한 고통에 시달리는 사람이 더 많아지는 이 불합리함을 어떻게 설명할 수 있을까? 그리고 한편에서는 먹거리를 제대로 소비하지 못해 고통 받는 사람이 증가하고 있는데, 다른 한편에서는 먹거리를 생산하는 많은 농민들이 몰락하고 있는 이 딜레마를 어떻게 설명할 수 있을까? 많은 사람들이 안전한 먹거리에 목말라하는데도 먹거리에 대한 불신이 갈수록 커지고 있는 사태를 어떻게 설명할 수 있을까?

국제 곡물 시장의 특징

현대의 곡물 시장의 수급을 결정하는 요인을 수요 측면과 공급 측면에서 살펴보면 다음과 같다. 수요 측면에서는 세계 인구의 증가와 소득의 향상에 따른 축산물의 수요 증대 등을 들 수 있고, 공급 측면에서는 수확 면적 확대의 정체와 단위면적당 수확량 증대의 정체 등을 들 수 있다. 여기에 최근의 식량 사정에 영향을 미치고 있는 수요 측 요인으로는 농산 연료의 원료로 사용되는 농산물 수요의 증가, 중국 등의 급속한 경제성장 등을 지적할 수 있고, 공급 측 요인으로는 기상이변의 빈발, 사막화의 진행과 수자원의 고갈, 가축전염병의 발생 등을 지적할 수 있다. 여기에다 곡물 시장에 투기 자금이 유입되어 수요와 공급 양면에서 교란을 유발하는 경우도 빈발하고 있다.

농업은 1960년대까지만 하더라도 지역적인 자급 경향이 강했지만, 1970년대 중반 이후 세계 교역의 변방에서 벗어나기 시작했다. 그럼에도 불구하고 여전히 곡물은 공산품과는 달리 생산량에서 교역량이 차지하는 비중이 낮다. 1980년 이후 30여 년 동안 곡물 소비량은 14억 톤 수준에서 23억 톤으로 증가했지만, 같은 기간 동안 곡물 교역량은 2억 톤에서 3억 톤 수준으

로 증가하는 데 그쳤다. 생산량에 비해서 교역량이 적은 이유
는 곡물은 기본적으로 국내 소비가 우선된 후에 여유분이 수출
되기 때문이다. 다만 사료작물로 많이 이용되는 콩의 경우는 예
외적으로 교역량이 많아서 교역률(생산량 대비 교역량)이 38%로
가장 높고, 밀은 21%, 옥수수는 11%, 쌀은 8% 수준이다. 생산
량 중에서 교역량이 차지하는 비중이 낮다 보니 미세한 수급 변
동으로도 급격한 가격 변동이 나타나게 된다.

　더군다나 식량 작물은 인간의 삶을 규정짓는 중요한 자원이
기 때문에 자국에서 소비할 곡물이 부족할 경우에는 수출 금지
나 수출규제가 취해지게 되는데, 이것이 국제 곡물 가격의 급등
을 가져오는 계기가 되기도 한다. 실제로 2008년 세계적인 식
량 위기가 발생했을 때, 많은 나라(아르헨티나, 인도, 베트남 등 20
여 개국)에서 수출 금지 및 수출규제가 이루어졌다. 곡물 수출
대국인 미국의 경우에는 규제 정책을 취하지는 않았지만, 국내
공급 부족 시 국내 경제를 보호하기 위해 필요한 수출제한을
할 수 있도록 법률(1979 수출관리법)로 명기해 놓고 있다(윤병선,
2008).

　또한, 세계 곡물 시장에서 주요 수출국이 미국, 브라질, 아르헨
티나, 캐나다, 오스트레일리아 등 소수의 국가에 한정되어 있다
는 점도 곡물 시장을 취약하게 만든다. 수출 상위 3국이 전체 수
출량에서 차지하는 비중이 콩의 경우 90%에 이르고, 옥수수의
경우 70%를 넘으며, 쌀은 70%를 조금 밑돌고 있다. 특히 미국의
경우 4대 곡물 모두에서 주요 수출국에 올라 있다(표 2-1 참조).

대두		옥수수		밀		쌀	
브라질	42%	미국	37%	미국	19%	태국	25%
미국	40%	구소련	19%	EU	19%	인도	25%
아르헨티나	7%	브라질	17%	캐나다	14%	베트남	16%
기타	12%	아르헨티나	12%	호주	11%	파키스탄	9%
		기타	15%	러시아	11%	미국	7%
				기타	25%	기타	19%

표 2-1. 주요 농산물의 수출국별 비중(2013/14)
자료: USDA.

그런데, 국제 곡물 시장을 쥐락펴락할 정도의 힘을 가지고 있
는 미국이지만, ADM, 벙기(Bunge), 카길(Cargill), 루이 드레퓌스
(Louis Dreyfus) 등 4개 업체(일명 ABCD)가 농식품 가공과 유통
부문을 지배하고 있다. 예를 들면, 옥수수나 대두 가공 물량의
90% 가까이를 상위 4대 업체가 처리하고 있으며, 쇠고기 도축
물량의 82%를 카길, 타이슨, JBS, 내셔날비프 등 상위 4대 업체
가 지배하고 있다(표 2-2 참조).

표 2-2에 나와 있는 바와 같이 농식품 복합체는 어느 한 분야
에 집중하여 사업을 특화하는 것이 아니라, 수직적 계열화를 꾀
해 왔다. 수직적 계열화는 한 기업이 상품 연쇄의 여러 단계에
진출함으로써 농식품 체계에 대한 지배력을 확대하는 수단으로
사용된다. 카길은 밀·옥수수·콩 등을 원료로 하여 축산 사료
를 가공할 뿐만 아니라, 이 사료로 키운 소와 돼지를 도축·가공
하는 업체이기도 하다. 카길은 원료 곡물의 가공 – 사료 제조 –

부문	상위대기업	CR$_4$	부문	상위대기업	CR$_4$
쇠고기 도축	Cargill Tyson JBS National Beef	82%	돼지 고기 도축	Smithfield Foods Tyson Foods Swift(JBS) Excel Corp.(Cargill)	63%
닭 도축	Tyson Pilgrim's Pride(owned by JBS) Perdue Sanderson	53%	칠면조 도축	Butterball(Smithfield/Goldsboro) Jennie-O(Hormel) Cargill Farbest Foods	58%
축산 사료	Land O' Lakes Purina LLC Cargill Animal Nurtition ADM Alliance Nutrition J.D. Heiskell & Co.	44%	소맥 가공	Horizon Milling(Cargill/CHS) ADM ConAgra	52%
대두 가공	ADM Bunge Cargill Ag Processing	85%	쌀 가공	ADM Riceland Foods Farmers Rice Milling Producers Rice Mill	55%
식료품 유통	Wal-Mart Kroger Safeway Supervalu	42~51%	옥수수 가공	ADM Corn Products International Cargill	87%

표 2-2. 미국 농식품 부문에서 상위 4대 기업의 시장 집중률(CR$_4$)

주: Horizon Milling은 카길과 CHS의 합작회사임.

자료: James, Jr. · Hendrickson · Howard(2013)

가축 사육[1] – 식육 가공까지 모든 단계에서 상위 대기업군에 속해 있다. 이와 같은 수직적 계열화는 서로 다른 상품 단계에 대한 교차 보조를 통해 타 기업과의 경쟁에서 우위를 점할 수 있게 한다(윤병선, 2004a).

수직 · 수평 계열화를 통해 시장 지배를 강화한 농업 관련 기업들은 더 나아가 복합기업화와 세계적 통합을 통해 초국적 농

---

1. 'Cargill Cattle Feeders LLC'라는 카길의 자회사는 소 사육 가능 두수에서 미국 내 3위에 올라 있다.

	ADM	Bunge	Cargill	Louis Dreyfus
취급 상품				
대두	○	○	○	○
옥수수	○	○	○	○
소맥	○	○	○	○
설탕	○	○	○	○
쌀		○		○
가공				
곡물	○	○	○	○
사료	○	○	○	○
농업연료	○	○	○	○
투입재/서비스				
비료	○	○	○	○
종자판매			○	○
계약농업	○	○	○	○
보험	○		○	
보관·운송	○	○	○	○
투자/위험관리				
금융 서비스	○	○	○	○
농장 취득	○	○	○	○

표 2-3. 초국적 농식품 복합체의 주요 활동 영역
자료: Oxfam, 2011.

식품 복합체로 발전했다. 예를 들면, 카길은 해상운송과 석유
제품 가공 사업 등으로 사업 영역을 다각화해 복합기업으로 발
전했으며, 한편으로는 캐나다에도 가축 임시 사육장과 도축 시
설을 소유하여 가축 사육과 식육 가공에서 국경을 넘나드는 세
계적 통합도 이룩했다(헤퍼난, 2006). 수직·수평 계열화를 통해

시장 지배를 강화한 초국적 농식품 복합체들은 곡물 및 축산물의 무역을 매개로 하여 해상운송, 보험, 선물거래 등으로 사업영역을 다각화하고 있다.[2] 이러한 과정에서 농업 생산의 집중은 필연적으로 발생할 수밖에 없는데, 미국의 양계 산업 부문의 경우 1959년에 3할에 불과하던 사육 규모 10만 이상이 총생산에서 차지하는 비중은 69년까지 배로 증가했고, 78년에는 8할대에 달했다가, 현재는 95% 이상을 차지하고 있다. 이는 곡물 메이저와 육류 가공업체에 의한 과점이 강화되고 있다는 사실과 관련 있다. 또한, 여기에 전략적 제휴의 형태로 종자 업체와 유통업체가 결합됨으로써 먹거리와 관련된 일종의 원-스톱(One-Stop) 지배의 길로 나아가고 있다(표 2-3 참조).

초국적 농식품 복합체와 권력의 유착

소수의 초국적 농식품 복합체들은 곡물 가공, 유통, 축산, 농자재, 수출, 해운, 보험, 투자에 이르기까지 다각화된 사업 영역에서 막강한 시장 지배력을 행사하고 있다. 초국적 농식품 복합체의 농업 지배 강화는 세계 각 지역에서 각기 독립적으로 유지되어 오던 식품 체인(food chain)을 품목, 지역, 영역별로 각각 분화시키는 과정이었고, 이는 또한 국경을 초월하여 농민으로부터 소비자에 이르는 사회의 모든 참여자들을 시장을 매개로

----

2. 카길은 세계에서 가장 큰 헤지펀드 운용사 중의 하나이기도 하다(Lawrence, 2011).

연결시키는 과정이기도 했다. 이 과정을 주도하는 초국적 농식품 복합체들은 종자와 비료, 농약과 같은 농업 투입재뿐만 아니라, 이들 투입재를 이용하여 생산한 곡물과 육류, 과일, 채소의 가공과 유통 등 먹거리와 관련된 거의 전 부분에서 사업을 전개하고 있다(윤병선, 2008).

초국적 농식품 복합체들은 세계 농식품 체계에 대한 지배력을 강화하면서 기존의 국가 단위의 전통적인 농업·먹거리 정책을 무력화시켜 왔다. 그리고 이들은 자본 간의 격렬한 경쟁 관계 속에서 유리한 위치를 확보하기 위해 국가기구와 긴밀한 관계를 유지해 오고 있다. 특히 미국은 세계시장의 규범을 수립하고 이 규범을 관리하는 국제기구에 대해 매우 큰 영향력을 가지고 있는데, 초국적 농식품 복합체들은 자신들에게 막대한 이익을 가져다주는 식량 원조 정책의 유지와 WTO 농업 협상의 진전을 통한 농업의 전면적인 무역자유화를 위해 미국 등과 긴밀한 협조를 취해 왔다.

이른바 회전문 인사를 통해서 기업체의 이익을 관철시키기도 하고, 공적 업무를 담당했던 공무원이 민간 업체에서 중요한 역할을 맡기도 한다. 미국이 UR 협상에서 제안한 내용의 대부분은 카길 사의 전직 경영자인 암스튜츠(Daniel Amstutz)에 의해서 작성되었다. 이 제안서는 곡물 무역 회사와 농화학 회사의 요구에 맞추어 만들어졌고, 다른 농업 관련 초국적 기업들에 의하여 검토되었다. 이는 그린파워 전략을 유지하고자 하는 미국의 입장과도 일치하는 것이었다. 결국 WTO 농업 협정은 농업 관련 기업의 경쟁 우위를 보장하는 협정이었고, 이런 점에서 WTO 농업 협정은 기업이 지배하는 농식품 체계의 제도화 과정이었다.

국민국가의 틀을 초월한 것처럼 보이는 거대 초국적 기업이라도 자본 간의 격렬한 경쟁 관계가 존재하는 한, 그리고 보다 많은 이윤의 획득을 목적으로 하는 자본의 속성상 보다 유리한 경쟁을 전개하기 위해 국가와의 긴밀한 관계를 전제로 하여 국가재정이나 정책적 지원에 기생하려고 하는 것은 당연하다. 이런 점에서 자본의 초국적화는 국가적 매개로부터의 해방 내지 '무국적화'를 의미하는 것은 아니다. 국경 바깥에는 다른 국가가 있기 때문에, 국경을 넘어서 자본으로서의 본성을 실현하기 위해서는 외국의 국가적 개입을 받아들이든가, 자국의 국가주권을 국경 밖에까지 미치도록 국가적 개입을 요청하여 결국 다른 나라의 국가주권에 대한 지배의 관계를 인위적으로 창출해야 한다. 즉, 이들 거대 기업은 국가에 대하여 정책적 환경의 정비를 요구하는 적극적·능동적 대응을 추진한다(久野秀二, 2002).

이와 같이 거대 농업 관련 기업들은 국가 및 국가 간 관계를 스스로의 이해에 따라 동원할 정도로 강화되었다. 이들 농업 관련 기업의 농업 및 농식품에 대한 지배가 세계적 규모로 강화되어 농식품의 원료 생산에서 가공, 유통, 소비에 이르는 전 과정이 세계적 통합 체제에 포섭되면서, 각국 정부가 실시해 온 농산물 가격 지지 정책이나 양국 간 내지 다국 간에 실시되어 온 전통적인 농업 조정 정책이 국내 수준에서뿐만 아니라 국제 수준에서도 점차 공동화되기에 이르렀다(中野一新 編, 1997)고 할 수 있다. 이는 필연적으로 국가나 지역 차원에서 모순을 발현시키지 않을 수 없고, NGO 등에 의한 대항적 과학의 대치, 지역으로부터 세계로 확대되는 여러 운동의 조직화, 이를 근거로 한 여론 형성을 수반하면서 사회적 저항운동 측의 헤게모니가 국가 및 국가 간 관계에 커다란 영향력을 갖기에 이르렀다는 것을 의미한다.

초국적 농업 식품 복합체들은 정부 정책에 영향력을 발휘하기 위한 구체적인 작업도 여러 가지 형태로 병행하고 있다. 예를 들면, 카길 사의 최고경영자인 미섹크(Ernest Micek)는 클린턴 정부에서 미국의 수출 확대를 꾀하고 수출 정책을 대통령에게 자문하는 대통령수출자문단의 멤버로 임명되기도 했다(Kneen, 1999). 이외에도 거대 농업 관련 기업체와 정부의 밀착은 다른 여러 가지 사례에서도 확인되는데, 1986년에 카길, 몬산토, 노비스코 등은 농식품 복합체의 로비 활동을 담당하기 위해 농업정책개발그룹(APWG: Agricultural Policy Working Group)을 결성하기도 했다(Kneen, 1999). 이들은 소농이 세계가 필요로 하는 식량을 생산할 정도로 충분히 생산적이지도 않고, 또 효율적이지도 않다는 목소리를 내기 위하여 수백만 달러를 광고에 쏟아 붓고 있다(Cavanagh and Mander, 2002).

또한, 농업 관련 산업체의 임원과 미국 정부(특히, USDA나 FDA)의 공무원 사이의 자리바꿈에서 알 수 있듯이, 규제 기관과 피규제 기관 사이의 밀착의 고리가 깊다는 사실도 고려해야 할 사항 중 하나이다. 농업 관련 산업과 미국 정부 사이의 유착 관계는 미국 정부가 농업 관련 산업의 국제 경쟁력 제고를 국가 전략으로 삼으면서 바이오테크놀로지와 관련된 연구 개발이 빠른 속도로 확대된 점에서도 확인할 수 있다. 그 결과, 미국은 바이오테크놀로지 분야 특허의 53.7%를 출원(EU는 32.6%, 일본 은 7.7%)하기에 이르렀다. 영국의 경우에도 유기 농산물에 대한 대중의 요구가 강하게 분출되고 있음에도 불구하고, 영국 정부 는 5,400만 파운드를 바이오테크놀로지의 연구 개발에 사용한 반면, 유기농업의 연구에 대해서는 불과 180만 파운드만 사용 했다(Paillotin, 1999).

국제기구도 초국적 농업 관련 기업의 영향으로부터 자유롭다 고 보기는 어렵다. 경제협력개발기구(OECD)는 농업에 관한 경 제적 연구를 후원해 오고 있다. 중요한 것은 OECD가 판매되는 야채나 과실에 대하여 일정한 규격을 설정하고 있는데, 이들 규 격은 청과물의 외양과 포장 규격과 관련되어 있다. 이는 청과물 에 대한 세계적 시장을 만들어 내는 데 본질적으로 중요한 역할 을 하고 있다. 왜냐하면 소맥과 같이 대량으로 거래되는 상품에 대해서는 이미 백 년 전부터 그러한 종류의 규격이 적용되고 있 기 때문이다. 또한 OECD는 농업 과학기술의 광범한 이용을 촉 진하는 연구의 재편과 규제나 기준을 만들어 내기 위해 노력하 고 있다. 1993년 OECD의 전문위원회가 도입한 '실질적 동등 성(substantial equivalence)'이라는 개념은 장기간 안전하게 소비 되어 온 유사한 작물 및 식품을 비교 대조한 성분 분석에 따라

식품의 안전성을 평가하기 위한 수단인데, 독성 실험 등 의약품
이나 식품첨가물에 요구되는 것과 동일한 수준의 안전성 평가
를 의무 짓고 있지 않다는 점에서, 이 또한 바이오메이저를 비
롯한 초국적 농식품 복합체의 이해를 대변하고 있다는 소비자
단체나 환경보호 단체의 비판으로부터 자유롭지 못하다(윤병
선, 2004b).

'위생 및 식물검역(SPS: Sanitary and Phytosanitary) 조치의 적
용에 관한 협정'도 초국적 농식품 복합체들의 이해가 관철된
대표적인 사례라고 할 수 있다. 이 SPS 협정으로 인해서 식품
의 안전성 등의 규격에 관해서는 국제식품규격위원회(Codex
Alimentarius, 일명 코덱스위원회)가 결정한 기준에 부합하도록 강
제하게 되었다. 과거 코덱스위원회는 구속력을 행사할 수 없
는 느슨한 조직이었으나, WTO의 성립과 함께 각국의 주권에
제한을 가하는 권력기관으로 변하였다. 예전에는 식품첨가물
의 인가나 잔류 농약의 기준 등에 각국주의가 적용되었는데, 이
는 각 나라와 지역마다 식문화가 달라서 식품첨가물의 섭취량
이 다르기 때문이었다. 그러나 각국마다 기준이나 규격이 다르
면 무역의 자유화·발전에 장애가 된다는 이유로 국제적인 통
일을 이루기 위한 작업이 이루어졌고, 이때 코덱스위원회가 정
한 규격과 기준이 중시되게 되었다. 예전에 각국의 자주적인 판
단으로 이루어졌던 안전성이나 표시 등도 국제적으로 통일하
도록 하였는데, 이는 엄격한 규제를 취해 왔던 나라의 경우에는
그 기준을 대폭 완화시키는 계기가 되었다. 그 이전까지 코덱스

위원회가 식품의 국제 기준이나 규격을 결정하더라도 그 결정은 강제력이 없었다. 그런데 국제적인 통일이 이루어지면서 코덱스위원회가 결정하는 국제 기준이나 규격이 강제력을 갖게되었다. 이는 실질적으로는 각국의 주권에 제한을 가하는 것이라고 할 수 있다. 더욱이 코덱스위원회의 논의는 개방되어 있지만, 원안은 사무국이 제출한다. 그리고 초국적 농식품 복합체들의 참여는 이루어지고 있는 반면, 제3세계 국가들의 참여는 용이하지 않다. 동물의 질병과 관련된 국제조직인 국제수역사무국(OIE)도 축산물 수출국과 초국적 농식품 복합체에 의해서 주도되고 있는데, 이 때문에 여기에서 제시하는 기준도 점차 완화되고 있다. 이들 기구는 대체로 각국의 기준을 '통일'하는 것을 목표로 하고 있다. 특히 농산물의 경우 세계적인 기준을 만드는 것은 생물의 다양성과 관련하여 중요한 문제를 야기한다. 어떤 사람들에게 건강상 위험한 것이 다른 사람들에게는 무역장벽으로 간주되는 것이다.

초국적 농식품 복합체의 농업 지배 강화

신자유주의 세계화는 세계경제의 행위자의 측면에서 보면 '국가'에서 '기업'으로의 전환을 의미하기도 한다. 신자유주의는 '작은 정부론'과 '시장 원리 만능'이라는 사상에 입각하여 재정지출의 삭감과 공적 부문의 축소 및 민영화를 추진하고, 공적 규제의 완화 및 철폐를 통하여 자본 활동의 자유화를 꾀

함으로써 자본(독점자본)의 축적 조건을 확보하는 것을 가장 큰
목표로 삼고 있다. 동시에 그것은 경제의 세계화에 적합한 새
로운 사회경제구조로 전환코자 하는 정책적 이데올로기이기도
하다. 또한 세계화는 국가 및 지역 간에 존재하던 상품, 서비스,
자본, 노동, 정보 등에 대한 인위적 장벽을 제거하여 세계를 일
종의 거대한 단일 시장으로 통합하고자 하는 것이다. WTO가
그렇고, FTA(자유무역협정)가 그렇고, DDA(도하개발의제) 협상
도, TPP(환태평양경제동반자협정)도 그러한 작업의 일환이다. 이
에 따라 지역 단위에서, 혹은 전후방 연관이라는 차원에서 서로
연결되었던 식품 체인은 서로 다른 행동 규칙을 갖는 부문으로
인위적으로 단절되었다. 초국적 농식품 복합체들은 거꾸로 농
민으로부터 소비자에 이르는 사회의 모든 참여자들을 국경을
초월하여 서로 연결시키면서 이윤 획득의 고리를 만들어 내고
있다. 즉, 연결되어 있던 고리를 단절시키고, 이로 인해 생긴 단
절된 부문들을 연결하고 통합하는 역할을 초국적 농식품 복합
체들이 수행하고 있는 것이다. 초국적 농식품 복합체들은 수직
적 계열화를 통해 생산 영역뿐 아니라 종자 · 비료 · 농약 등의
농자재를 생산하는 후방 산업, 먹거리를 가공 · 유통하는 전방
산업에 이르기까지 모든 영역에서 활동하고 있다. 농업의 시작
이면서 끝이라고 할 수 있는 종자의 경우, 2009년 세계 종자 시
장의 매출액(약 274억 달러)에서 상위 10개 사의 점유율은 73%
에 달하고, 특히 몬산토와 듀퐁, 신젠타 등 상위 3사의 점유율
은 53%를 차지하고 있다. 또한 농약 시장의 경우에도 상위 10

업체명	종자		농약	
	매출액	순위(점유율)	매출액	순위(점유율)
몬산토(미국)	7,297	1 (27%)	4,427	4 (10%)
듀퐁(미국)	4,641	2 (17%)	2,403	6 (5%)
신젠타(스위스)	2,564	3 (9%)	8,491	1 (19%)
바이엘(독일)	700	7 (3%)	7,544	2 (17%)
다우(미국)	635	8 (2%)	3,902	5 (9%)
BASF(독일)	-	-	5,007	3 (11%)
상위 6개 사 합계	15,837	58%	31,744	71%
상위 10개 사 합계	20,062	73%	39,468	89%

표 2-4. 세계 종자 및 농약 산업에서 상위 10개 사의 시장점유율(2009년 기준, 단위: 100만 달러)
자료: ETC Group(2011)

개 사의 점유율은 89%에 달한다. 이들 바이오메이저 기업들은 제초제 내성 품종과 해충 저항성 품종 등 유전자조작 품종의 개발을 통해서 종자 사업과 농약 사업을 통합하고 있다. 특히 몬산토는 제초제 내성 품종과 관련된 특허를 거의 독점하고 있다(표 2-4 참조).

이런 가운데 GM 농산물의 재배가 확대되고 있다. '농업생명공학을 위한 국제서비스(ISAAA: The International Service for the Acquisition of Agri-biotech Applications)의 발표에 의하면, GM 대두와 GM 옥수수의 재배 면적은 상업 재배가 시작된 1996년의 170만 ha에서 2011년에는 1억 6천만 ha로 15년 사이에 무려 100배 가까이 확대되었다. 이는 세계 경지면적의 약 10%, 곡물 재배 면적의 약 20%에 이르는 면적이다. 또한, 선진국에서의 GM 농산물 재배 면적의 증가폭보다 후진국에서의 증가폭이 훨씬 크다는 특징도 나타나고 있다.

또한, GM 농산물의 작물별 재배 면적 추이를 보면, 최근 들어서 옥수수의 재배 면적이 다른 작물에 비해서 그 증가폭이 크고, 형질별로는 제초제 내성 작물의 비율이 해충 저항성 작물에 비해서 압도적으로 높다는 점이다. 이는 종자와 제초제의 사용이 함께 이루어져 농업 생산에서 초국적 농식품 복합체의 지배력 강화로 이어지게 된다.

초국적 농식품 복합체의 지배가 강화되고 있는 현 세계 농식품 체계에서 농업의 위기와 먹거리의 양적·질적 위기가 심화되고 있다. 먼저 세계 식량 위기를 통해 부각된 양적 위기의 측면에서는 상대적 부족의 시기가 지나고 절대적 부족의 시기에 접어들었다는 진단이 주를 이룬다. 세계적인 곡물의 수급 불균형은 다양한 요인에 의해 촉발되었다. 농산 연료(agrofuel)의 확산, 곡물 사료로 사육한 육류의 소비 증가, 기상 관련 흉작[3]이 주요한 요인이다. 그리고 국제 유가의 상승과 투기가 함께 작용하여 가격 폭등을 초래했다(홀트-히네메즈·파텔, 2011). 실제로 국제 곡물 시장을 쥐락펴락할 정도의 힘을 가지고 있는 미국이지만, 미국 경제 전체에서 농업 부문이 차지하는 비중은 미약하다. 미국 내 금융자산 대비 생산액은 1%에도 미치지 못한다. 투기 자본이 발호하기 아주 좋은 조건이라고 할 수 있다. 전

---

3. 최근 반복되는 기상 관련 흉작은 한두 번 나타나는 현상이 아니라 기후변화로 인한 문제로 보는 것이 지배적인 시각이다.

체 금융시장에서 차지하는 비중이 이처럼 낮은 상황에서 투기 자본이 곡물 시장으로 유입되면 곡물 시장은 요동칠 수밖에 없다. 실제로 2008년의 식량 위기는 악화된 시장 여건(이상기후에 의한 곡물 생산의 감소와 중국 등 신흥국가의 곡물 수요의 증가)이 기본적인 원인이었지만, 원유 시장에서 시작된 투기 자본의 상품 투자가 곡물 시장으로 옮겨 오면서 곡물 가격의 급등으로 이어졌다. 그런데, 곡물 시장의 상황을 정확하게 판단하고 투기를 해야 성공할 수 있는데, 곡물 생산이나 재고 상황 등 시황을 가장 정확하게 파악하고 있는 집단은 초국적 농식품 복합체다. 2000년대에 들어서면서 초국적 농식품 복합체들은 금융 서비스를 강화하고 있는데, 말이 금융 서비스지 실제로는 곡물을 투기의 대상으로 하는 금융 활동이라고 할 수 있다. 따라서 전세계 빈곤층의 생계를 위협했던 2008년의 식량 위기였지만, 초국적 농식품 복합체들은 막대한 이익을 남겼다. 문제는 이러한 투기 활동으로 인해서 국제 곡물가가 상승하고, 이로 인해서 구매력이 부족한 저소득층의 끼니 걱정도 많아지고, 기아 인구도 증가한다는 점이다(표 2-5 참조).

한편, 세계 농식품 체계에서 먹거리의 질적인 위기는 좁은 의미에서는 식품 안전과 건강의 문제이고, 넓은 의미에서는 농업의 생태성 문제를 포괄한다. 첫째, 좁은 의미의 질적인 위기로서, 세계 농식품 체계는 식품의 안전과 건강의 문제를 초래했다. 제2차 먹거리 체제 작동의 핵심 기제였던 미국식 농업 모델(녹색혁명형 농업)은 극단적으로 투입물에 의존한다. 이 미국

업체명	사업 분야	순익 (2008 1/4분기)	순익 증가율 (전년 동기대비)	기준일
ADM	곡물 가공	5억 1,700만 달러	42%	2008. 3. 31.
Bunge	곡물 가공	2억 8,900만 달러	1,964%	2008. 3. 31.
Cargill	곡물 가공	10억 3,000만 달러	86%	2008. 2. 29.
Monsanto	종자, 농약	11억 3,000만 달러	108%	2008. 2. 29.
Mosaic	비료	5억 2,080만 달러	1,134%	2008. 2. 29.

표 2-5. 대표적인 초국적 농식품 복합체의 식량 위기 당시 순익 동향
자료: Wall Street Journal(2008. 4. 30)

식 농업 모델은 수확량 증대에는 성공했으나, 먹거리의 질적인
측면에 대한 고려는 거의 없었다(랭·헤즈먼, 2006). 농약·비료
의 과다 사용, 공장식 축산으로 인해 나타난 질병들, 미국식 식
습관의 일방적인 전파 등으로 인해 먹거리 자체의 위험성이 높
아지고, 이와 같은 먹거리의 섭취로 인해 식인성 질병이 확산되
면서 건강의 문제로까지 이어지고 있다. 둘째, 넓은 의미의 질
적인 위기로서, 세계 농식품 체계는 자연과의 조화와 생태성을
고려하지 않는 생산방식으로 많은 문제를 초래하고 있다. 예를
들어 효율성만을 추구하는 녹색혁명형 농업은 화학적 투입물
의 과다 사용과 소수 작물 중심의 단작화 등을 통해 자연을 파
괴하고 환경을 오염시켰다.

초국적 농식품 복합체에 의해서 주도되고 있는 농산물의 자
유무역은 인간의 욕구를 충족시키는 것과 거의 무관하다고 할
수 있다. 지구적 차원에서 농산물의 자유무역의 역할은 충분한
영양을 보장하는 것이 아니라, 구매력에 의해 뒷받침되는 유효

수요에 대응하는 것이다. 이로 인해 대부분의 식량 무역은 이미 충분한 식량을 섭취한 사람들 사이에서 일어나게 된다. 이런 점에서 세계 기아 문제는 식량의 절대적 부족의 문제가 아니다. 이른바 지역의 농민이나 그곳에 살고 있는 사람들이 살아가는 데 필요한 "농(農)과 식(食)의 존엄성"이 파괴되고 농과 식이 자연으로부터 괴리되면서, 이것이 자연환경이나 지역의 파괴로 연결되고, 이로 인해 인류의 식량 안전 보장의 기반이 무너졌다는 점에서, 농산물의 자유무역은 먹거리 문제의 해결책이라기보다는 먹거리 문제를 발생시킨 원인 제공자라고 할 수 있다.

이런 과정을 거치면서 형성된 현재의 농식품 체제에서 환경적으로 균형 잡힌 영농 체계는 망가졌고, 생태학적 문제뿐만 아니라 대규모 농업 시스템으로 인해서 농가의 구성 요소들의 결합이 이완되는 빈약한 구조가 되었다. 단일 곡물 생산은 다량의 살충제와 비료 사용을 초래하여 오히려 효율성을 감소시키는 결과를 초래하게 되었다. 즉, 산업적 농업(industrial agriculture) 경영은 농약의 남용을 가져오게 되고, 농촌에서 농민들에 의해 운영되는 협동체를 위협하고, 작물의 다양성을 감소시키고, 과도한 기술의 이용을 초래하여 농촌 사회의 불평등을 조장하고, 이것은 결국 가족농을 몰아내고 전통적인 농촌 사회를 파괴하게 된다. 이러한 과정에서 한 나라의 농업 기반은 초국적 농식품 복합체의 지배하에 놓이게 되고, 식품의 다양성은 파괴되며, 값싼 위험 식품 문화(junk food culture)가 만들어진다.

한편, 세계화의 파고와 초국적 농식품 복합체의 지배하에 놓여 있는 것은 후진국이나 수입국의 농업 생산자·소비자뿐만 아니라, 선진 수출국의 중소 가족 농가도 마찬가지라는 사실을 인식할 필요가 있다. 대표적인 농식품 수출국인 미국의 경우에도 농식품 복합체의 사업 영역 확대 과정과 맞물려서 기존의 가족농의 괴멸과 대규모 기업농의 급성장으로 생산의 특화가 심화되는 양상을 보이고 있다. 결국, 초국적 농식품 복합체는 지구의 모든 구석을 자신의 사업 영역으로 확장하면서 환경적으로 균형 잡힌 영농 체계를 무너뜨리고, 유전적 자원의 다양성을 감소시키고, 표준화된 생산물의 공급을 확대시키고, 농업 생산의 획일화를 강제함으로써 농업·농촌의 사회적·경제적·생태적 지속가능성을 심각하게 훼손하고 있는 것이다.

'자유무역'의 보호 속에 숨어 있는 괴물

시한까지 연장해 가면서 이루어진 한미 FTA 협상 타결 이후 미국은 700여 명의 민간 전문가로 구성된 자문위원회를 가동하여 협상 내용에 대한 검증에 들어갔지만, 한국은 정부가 협상문을 공개하기만 기다리는 어처구니없는 일이 벌어지고 있다. 졸속으로 시작한 협상이지만, 그래도 내세웠던 성과를 협상 과정에서 얻지 못했다면 과연 자유무역협정이 꼭 필요한가에 대하여 자문했어야 하는데 한국 정부에게는 그런 여유가 없었다. 미국과의 협상을 중단한 많은 나라들이 있으니 좀 더 신중하게 협상 타결에 임하라는 국민 여론에 대해서도 정부는 그 나라들이 한국과 다르다는 목소리만 높였을 뿐, 협상 대상이 초강대국 미국이라는 동일한 사실에 대해서는 조금도 개의치 않았다. 오히려 미국 쪽의 "쇠고기에 대한 완전한 수입 개방 없이는 한미 FTA는 없다"는 날 세운 협박에 한국의 대통령은 전 국민 앞에서 "한국은 미국산 쇠고기 수입문제에 관해 성실하게 협상에 임할 것이고, 협상에 있어서 국제수역사무국(OIE)의 권고를 존중하여 합리적인 수준으로 개방하겠다"고 미국의 대통령에게 약속했다.

한미 FTA 고위급 협상이 진행되던 시기에 미국육우협회(NCBA)는 연례 총회를 워싱턴에서 갖으면서 부시 미 대통령과 조한스 농무장관 등을 초청해서 한국의 쇠고기 시장을 열도록 하겠다는 약속을 받아냈다. 이 단체는 이미 한미 FTA 협상 개시 선언과 함께 가장 먼저 환영의 메시지를 발표한 단체 중의 하나였다. 이 단체에는 카길, 타이슨과 같은 초국적 농식품 복합체들이 이사진으로 참여하고 있고, 미국농업행동(American Agriculture Movement)이라는 농민 단체가 미국과 호주 사이에 체결된 FTA는 미국육우협회, 카길, 콘아그라, 타이슨 등의 로비로 이루어졌다고 주장할 정도로 이들의 정치력은 막강하다.

실제로 미국육우협회의 입법 관련 업무를 담당했던 무어(Dale Moore)는 부시 정부 하에서 농무부장관을 지낸 베네만(Ann Veneman)의 중요 스태프였다. 미국에서 광우병 소가 발견된 이후, 미 농무부는 많은 전문가들이 "강력한 안전장치를 마련하고, 과정을 검증하도록 하라"고 권고하는 것을 무시했다. 동시에 미 농무부는 개별 회사에 의해서 이루어지는 포괄적인 검사는 소비자들로 하여금 다른 공급업자의 쇠고기가 안전하지 않다는 우려를 유발할 수도 있다는 이유로 개별 도축업체가 자체적으로 광우병 쇠고기 실험연구실을 설치하려는 노력을 차단했다.

육류와 곡물의 가공과 유통을 감시하기 위해 1920년대에 설치된 미 농무부의 산하기관인 곡물검사출하집하청(GIPSA)도 미국돈육생산자위원회(NPPC) 의장의 지휘하에 있을 정도로 이들 초국적 농식품 복합체들의 영향력은 곳곳에 미치고 있다. 따라서 쇠고기 시장의 개방 문제는 이들 초국적 농식품 복합체들의 요구와 직접적으로 연결된 것이고, 이는 육류의 원산지 표시 적용 기준을 가축 사육국이 아닌 도축국으로 하자는 요구로 연결되었다고 할 수 있다. 이렇게 되면 미국이 멕시코 등으로부터 생우를 들여와 100일 이상 사육해 도축하면 우리는 이를 미국산 쇠고기로 인정해 관세상의 혜택을 부여하게 되는 것이다.

또한 동물의 질병과 관련된 국제조직인 국제수역사무국(OIE)의 기준을 세계 기준으로 삼으려는 시도도 주목해야 한다. 현재 국제수역사무국의 기준은 점점 완화되고 있는데, 예를 들어 광우병 소와 관련하여 전수검사는 물론, 뼈 없는 부위는 검사 자체가 불필요하고, 위험 부위의 제거도 30개월 이하는 요구하지 않는 등 규제가 거의 없는 상태로 만들고 있다. 이는 국제기구마저 초국적 농식품 복합체들의 영향력 하에 놓여 있다는 것을 보여 준다.

윤병선, 『한국농정신문』, 2007. 4. 16.

3. 세계 농식품 체계와 위기의 한국 농업

1945년에 일본의 식민지 지배로부터 해방된 한국에서 농업이 걸어온 길은 미국 중심의 먹거리 체제(food regime)와 초국적 농식품 복합체가 지배하는 먹거리 체제로의 편입 과정이라고 할 수 있다. 한국은 해방 이후부터 60년대까지 이루어진 미국의 잉여농산물 원조를 계기로 세계 농식품 체계에 편입되었고, 미국의 잉여농산물 원조가 상업 베이스로 전환된 이후에도 한국은 해외 농산물에 의존해야 하는 구조가 정착되었으며, 70년대 말부터 진행된 개방 농정은 이를 가속화시켰다. 이런 과정에서 지속적으로 추진되어 온 저농산물가격정책은 저임금의 기반을 제공하였고, 이는 한국 경제의 압축 성장을 가능하게 한 중요한 근거가 되었다. 자본 측의 입장에서 볼 때, 이윤의 증대뿐만 아니라, 농산물 수입을 통해서 막대한 이윤을 직접 취득할 수 있었기 때문이다. 특히 8.15 해방 이후 농산물 도입량은 한국 내부의 부족 수요량의 변화에 대응하여 결정되었다기보다는 세계(특히 미국) 농산물 재고량의 변화와 세계경제에서 차지하는 미국 경제의 지위에 의해 결정되는 측면이 강했다는 점을 간과할 수 없다.

잉여농산물 도입기(해방 후 60년대까지)

미국은 2차 세계대전 이후 자국의 정치적 패권 강화와 잉여농산물의 처분이라는 두 가지 목적을 달성하기 위해 대외 식량 원조를 제공했다. 전후 미국의 잉여농산물 수출은 주로 유럽을 중심으로 이루어졌는데, 유럽에 대한 미국의 농산물 수출은 제2차 세계대전을 계기로 크게 증가되었다. 제2차 세계대전 발발을 계기로 1941년 3월에 미국은 무기대여법(Lend-Lease Act)을 성립시켰는데, 이 법을 근거로 미국은 농산물을 차관 형식으로 대여하였다. 그리고 제2차 세계대전이 끝난 이후에도 일련의 원조 계획을 통하여 농산물 수출을 증가시켰다(윤병선, 1992). 이로 인해 농산물의 과잉 문제는 발생하지 않았으나, 1948년의 공황을 계기로 농산물의 과잉생산 문제가 발생하였고, 이에 따라 농산물의 가격은 하락하였는데, 한국전쟁 발발로 인한 전시 경기로 말미암아 농산물 가격은 다시금 상승하게 되었다. 한국전쟁의 종료와 때를 같이하여 미국 농산물에 대한 해외 수요가 크게 감소하였다. 그 결과 1952년의 소맥 수출량은 1949년에 비해 2/3 이하로, 1953년에는 1/2 이하로 떨어졌다(小澤健二, 1985). 한편, 소맥 생산은 제2차 세계대전 전의 절정기인

1929~31년에 비해 25% 이상의 신장이 이루어졌기 때문에, 미국으로서는 잉여농산물의 처리가 중요한 문제로 대두되었고, 이에 따라 PL480호의 성립을 보게 되었다(제2부 1장 참조).

8.15 이후의 악화된 식량 사정을 계기로 도입된 막대한 양의 잉여농산물은 한국에서 식량의 대외 의존의 단초가 되었다. 미 군정청의 경제정책의 기본 방향은 일제 식민지하의 한국 경제를 미국 주도의 새로운 세계 자본주의 체제 속에 편입시키려는 방향으로 나아갔다. 이 작업의 일환으로 우선 일제 말기의 전시체제하의 통제경제적인 제반 요소들을 척결하고 자유경제(시장경제)적인 여건을 조속히 조성해 나갔다. 미 군정청은 1945년 10월 5일 〈일반포고 제1호〉를 발표하고 미곡 자유 시장을 개설하여 일제하에서 실시되었던 미곡의 공출제와 배급 제도를 폐지하였다. 그러나 이러한 미곡 자유 판매제로의 이행으로 인해 양곡 행정은 오히려 심각한 위기에 처하게 되었다. 생산이 전반적으로 위축되어 있는 가운데 생산 정책과 대 인플레이션 정책에 대한 고려 없이 실시되었기 때문에, 이는 곧바로 물가의 전반적인 등귀와 상품 간 가격 균형의 상실을 초래하게 되었다. 게다가 1945년도 추곡의 대흉작으로 말미암아 식량 사정은 악화되고 미가는 폭등하였다.

사태가 이렇게 되자 미 군정청은 1개월여 만에 정책을 환원시켜 1945년 11월 19일에 〈미곡통제〉 규정을 만들어 자유 시장 설치를 백지화하고, 1946년 1월에 〈미곡수집령〉을 공포하여 수집된 양곡을 도시 소비자에게 배급하였다(농수산부, 1978). 그러

나 시장가격보다 월등히 낮은 수매 가격은 농민의 희생을 일방
적으로 강요한 것이었다. 이러한 상황에서 순조로운 수집은 애
초부터 불가능할 수밖에 없었지만, 강압을 동원한 수집을 통해
서 1946년 및 1947년의 추곡 수집은 목표량의 82.9%, 97.1%를
각각 기록하였다. 그러나 이러한 높은 수집 비율에도 불구하고
식량 사정은 호전될 기미를 보이기는커녕 오히려 악화되었다.
해방으로 인해 일본으로의 미곡 반출이 종료된 상황에서 식량
사정이 악화된 원인으로는 미군정 당국이 일본으로 쌀이 밀반
출되는 것을 통제하지 않은 것도 꼽을 수 있다.[1] 이 문제는 당시
큰 사회적 이슈가 되었지만, 미 군정청은 결국 외곡 도입을 통
해서 식량 부족을 해결하고자 하였고, 이것이 식량의 대외 의존
의 단초가 되었음은 물론이다.

정부 수립 이후인 1948년 9월에는 양곡의 생산자와 지주는
자가용 식량 및 종곡을 제외한 양곡을 매도하여야 한다는 〈양
곡매입법〉이 통과되었다. 그러나 정부 매입 가격이 시장가격
에 비해서 월등히 낮았기 때문에 실제 매상 실적은 부진하였다.
그 결과, 정부의 양곡 수급 계획은 차질을 빚게 되었고, 정부는
1950년 2월 16일자로 〈양곡관리법〉을 공포하였다. 이 〈양곡관

---

1. 높은 수집 비율에도 불구하고 양곡이 부족했던 원인에 대해 그 당시에도 미
군정에 의한 일본으로의 밀반출이 여러 사람에 의하여 제기되었다. 농업경제
연보(농민신문사 편)에서는 1946~48년간의 쌀 공출량은 932만 8천 석이었으
나, 배급한 것은 38만 9천 석에 불과했다고 주장하고 있다. 또한 정부수립 직
후 양곡매입법을 심의하는 과정에서 조봉암 농림장관은 1947년산 미곡 중에
서 수백만 석은 모리배에 의해 일본으로 밀반출되었다고 주장했다.

리법〉에 의해 강제수매 제도가 완화되긴 했지만, 정부 매입가와 시장가격 사이의 큰 격차 때문에 매상은 부진하였다.[2]

이처럼 곡가 억제 정책으로 인해서 야기된 정부 필요 양곡의 확보 문제를 해결하기 위하여 정부는 외곡 도입을 확대하였다. 그러나 국내 생산이 풍작이었음에도 불구하고 양곡을 과다하게 도입하여 초과 공급 현상까지 나타나기도 했다. 1955년 5월 31일에 체결된 PL480호에 의거한 미국과의 잉여농산물 도입 협정은 한국 농업에 커다란 영향을 끼쳤다. 즉, 이 협정에 의한 미국 잉여농산물의 대량 도입은 8.15 이후 계속 추구되어 온 농산물 가격 억제 정책을 더욱 용이하게 하였다. 더구나 국내 생산량을 고려하지 않은 과다한 잉여농산물의 도입은 곡가 파동을 일으키면서 농민의 생산 의욕을 감퇴시켰다. 막대한 양의 잉여농산물 도입은 곡물 가격의 억제를 위한 필수 불가결한 수단으로 사용되었다. 실제로 잉여농산물의 도입으로 곡물 가격의 억제가 용이해지자 정부의 양곡관리 정책도 점차 자유화되었다. 미국 잉여농산물의 도입으로 국내 곡물 가격은 급격하게 하락하였고, 급기야 1954년산 하곡에 이어 1958년산 하곡에서도 수확 포기 현상이 나타나게 되었다(손종호, 1980).

한편, 양곡과 함께 농산물 원자재의 과다한 도입으로 인해 원료 농산물의 국내 생산도 크게 위축되었고, 이와 함께 밀, 원면,

---

2. 이 양곡관리법은 군량과 도시 영세민, 영세 농민 등의 일부 수요에 한해서만 중점 배급을 실시하고, 나머지 수요에 대해서는 자유 시장에 의존하게 하는 이원적인 제도로 정책을 전환하였다는 데 그 특징이 있다(최웅상, 1959).

원당 등의 도입이 급증하면서 이들 잉여농산물의 가공 산업이 국내 산업의 중심으로 자리 잡았다. 이로 인해 국내 산업의 발전이 미국의 잉여농산물 도입을 증가시키는 내적인 요인으로 자리 잡게 되었다. 면화 재배의 경우, 상품생산적인 성격을 상실하고 농가의 자가소비적인 성격으로 전락하였다. 일제강점기에 면화의 생산량이 가장 많았던 해인 1943년의 면화 생산량은 14만 2천 톤이었고, 경작면적도 23만 ha나 되었다. 이때 식민지 조선에서 면방직 공업이 소비한 원면의 70% 이상을 국내에서 충당하였다. 그러나 1960년에는 수집량이 600여 톤으로 줄어든 반면, 미국 원면의 도입량은 5만 7천 톤으로 증가하여 국내 면방직 공업의 원면 소비량의 99.9%를 미국의 원면으로 충당하는 외면(外綿) 의존 체계로 전환되었다.[3] 이러한 외면 의존 체제로의 전환은 농가의 농업소득을 감소시켜 국내 시장을 축소시켰고, 국산 면을 기초로 하는 조면(繰綿)업자·방적업자·면실유(棉實油)업자 등의 몰락으로 이어졌다.

강제 증산기(60년대 중반부터 70년대)

1950년대 말부터 서유럽·일본 등 선진 자본주의 국가의 경제 부흥이 이루어짐에 따라 세계경제의 기조는 변화하게 되었고, 특히 미국의 무역수지 악화에 따른 달러 불안으로 미국의

---

3. "매 둥우리마다 생산연표를 표시한 꼬리표가 붙어 있었는데 거의가 1935~36년산의 솜들이었다"(경성방직주식회사, 1969).

대외 원조 정책, 특히 잉여농산물 원조 정책은 크게 변화했다. 즉, 1960년대에 들어서면서 미국은 달러방위 체제를 채택하였는데, 이로 인해 1961년 9월부터는 무상 원조를 개별 차관 원조로 변화시킨 대외원조법(Foreign Assistance Act of 1961)에 의하여 한국에 대한 원조를 대폭 삭감한다. 이로 인해 한국 정부는 과거와 같은 잉여농산물의 대량 도입에 의한 농산물의 가격 억제라는 안이한 방법이 앞으로는 쉽지 않을 것이라는 인식을 하게 된다. 1961년 8월에는 4.19 후의 민주당 정권하에서 제정된 〈농산물가격유지법〉이 5.16 쿠데타 주도 세력들에 의해서 공포되었다. 이 법은 농업 생산 및 농가 경제의 안정을 위해 농산물의 적정가격 유지를 목적으로 공포되었고, 농산물 가격 유지의 방법으로는 정부 수매, 담보 융자, 수출 장려 등의 방법과 필요시에는 보조금 지급도 가능하게 하였다. 그럼에도 불구하고 정부의 양곡 매입 가격은 시장가격보다 낮은 수준에서 책정되었기 때문에, 비록 〈농산물가격유지법〉이 공포되었다 하더라도, 농민의 희생을 강조하는 정책이 이루어졌다고 볼 수밖에 없다. 더욱이 정부의 양곡 확보는 생산 농가의 자유의사에 의한 판매가 아니라, 비료 배급 및 영농자금의 배정 등과 결부시키거나 지방행정 계통을 이용한 반강제적인 수집에 의해서 이루어졌다.

한편, 정부는 농지세의 물납제를 1964년부터 다시 환원해서 시행하였다. 또한 정부는 1953년에 처음으로 실시한 바 있는 〈양비교환제〉를 1965년 7월에 〈양곡과 비료의 교환에 관한 법률〉을 제정·공포함으로써 본격적으로 실시하였다. 이 양비 교환 제도는 비료 가격과 양곡 가격의 안정을 도모하고 농산물의 증산과 국민 식량의 원활한 공급을 기하기 위해 실시되었다고 하나, 그보다는 낮은 수매가로 인해 확보에 어려움을 겪던 정부 양곡을 수매가의 인상 없이 수매하는 수단으로 활용되었다고 할 수 있다. 이렇게 볼 때, 농지세의 물납제로의 환원이나 양비 교환제의 본격적인 실시에서 당시 이른바 농산물 가격 유지 정책의 핵심을 파악할 수 있다. 즉, 〈농산물가격유지법〉이라는 이름 아래 끊임없이 저농산물가격정책이 실시되면서 정부 필요 양곡의 확보가 어렵게 되자 물량 확보를 위한 방안으로서 위의 수단이 이용되었던 것이다.

한편, 밀, 면화, 옥수수 등을 중심으로 한 잉여농산물의 대량 도입은 밭작물 재배 농가에 심각한 타격을 주었고, 이로 인해 정부는 1966년부터 경제성 작물에 대한 주산단지 조성 사업이라는 이름하에 경제성 작물 재배를 강요하였다. 그러나 경제성 작물 중심의 작부 체계에서 이들 작물을 중심으로 거듭되는 가격의 기복으로 농가 경제는 더욱 불안정하게 되었다. 또한 경제성 작물의 재배와 출하의 증가로 농산물의 상품화율이 증가되자 점차 농산물 유통 문제가 대두되기 시작했다. 시장에 출하되는 농산물의 상대적·절대적 증가에도 불구하고, 농산물 시장은 과거와 마찬가지로 상인자본에 의해 주도되어 농민들의 경제적 상태는 악화되었다.

이와 함께 농민의 소득 증대 사업의 일환으로 출발한 축산 정책도 기업 축산 중심의 축산 장려 정책이 실시되면서 사료를 수입에 의존하는 가공업형 축산의 형태를 띠게 되었다(권영근, 1990). 이로 인해 사료 곡물도 대부분을 수입에 의존하는 구조가 정착되어, 사료 곡물인 대두와 옥수수의 자급률은 현격하게 떨어졌다. 이런 이유로 미 농무부조차 잉여농산물 원조 정책이 농산물의 상업적 수출로 연결된 가장 모범적인 사례의 하나로 한국을 지목했다.

한편, 1966년에는 PL480호에 따른 잉여농산물 구매 방식이 현지 통화에서 달러화로 바뀌게 되었다. 이에 따라 1968년부터 유상 원조가 시작되었고, 식량 수입을 위한 외화 지출 증대는 외환보유고의 감소 및 공업화의 제약 요인으로 등장하게 된다(이대근, 1987). 이 때문에 종래의 저미가정책은 한계에 부딪히게 되었다. 이에 따라 정부는 주곡의 자급을 달성하고, 도농 간 소득불균형을 시정하기 위해 이른바 '상대적 고미가정책'을 실시하게 되었다. 즉, 1965~67년산의 경우 10%에도 미치지 못했던 명목 수매 가격 인상률이 1968년산의 경우 16.9%, 1969년산은 22.6%, 1970년산은 35.9%로 과거에 비해서 크게 높아졌고, 1972년의 식량 위기를 계기로 상대적 고미가정책은 강화되었다. 그러나 쌀 수매 가격 인상을 방출 가격에 그대로 반영할 경우, 이는 임금 상승으로 귀결되어 결국 자본의 이해와 상충될 수밖에 없었다. 따라서 정부는 식량문제의 국내외적 상황과 자본의 이해를 모두 충족시키려는 계산 하에서 이중 곡가제를 채택하게 되었다.

1970년대에 미국이 대외 식량 원조 정책을 상업적 수출 정책으로 바꾸면서 한국 농업에도 큰 변화가 나타났는데, '녹색혁명형 농업에 의한 주곡 증산 정책'이 자리 잡게 된 것이다. 이 과정은 녹색혁명형 농업을 통한 미국식 농업 개발 모델이 도입되는 과정이기도 했다. 이는 '식량 자급'에서 '주곡 자급'으로 정책이 후퇴한 것을 의미하였고, 녹색혁명형 농업의 도입은 비료와 농약 등 외부 자재에 대한 의존성을 높이는 것이었다. 당시 다수확품종으로 도입된 통일벼는 시장에서 선호받지는 못했지만, 농민들은 정부의 강압에 의해서 재배하지 않을 수 없었다. 모판이 뒤엎히는 사태를 모면하기 위해서 재배한 통일벼는 정부의 수매에 의존하지 않을 수 없는 구조가 되었다. 그나마 정부가 수매하면 시장가격보다는 높게 받을 수 있었던 것이다. 다수확품종을 재배하는 과정에서 화학비료와 농약에 대한 의존은 높아질 수밖에 없었다. 1970년 ha당 162kg이었던 화학비료 사용량은 1980년에는 285kg으로 늘어났고, 농약 사용량은 1970년의 1.6kg에서 1980년에는 5.8kg으로 늘어났다. 특히 1970년대 이후 농약 사용량이 가파른 상승세를 보인 것은 녹색혁명형 농업의 보급과 함께 이농이 가속화되고, 그에 따른 노동력 부족 문제를 제초제 사용으로 해결한 결과이기도 하다.

개방 농정으로 전환(1970년대 중반 이후)

제1차 오일쇼크 이후 세계 자본주의가 만성적 불황에서 헤어나지 못한 상황에서 한국에 대한 수입자유화 압력이 거세졌다. 또한 한국은 대내적으로는 해외 부문의 통화팽창으로 인한 인플레이션 압력에 시달리게 되면서 농산물 수입자유화론이 1970년대 중반 이후 계속 대두되기 시작했고, 급기야 1978년 2월에는 '수입자유화 기본 방침'이 확정되고 농산물 수입자유화 조치가 이루어지게 되었다. 이는 이중 곡가제 실시로 인해 재정 적자가 누적된 정부의 이해와 중화학공업 및 사회간접자본과 같은 비농업 부문에서 자금 수요가 급증한 독점자본의 이해가 일치하는 것이었다. 결국 1970년대 중반 이후의 농산물 수입자유화 조치는 미곡의 실질 수매 가격의 하락과 함께 이루어졌다. 이에 따라 식량 작물의 경작면적은 크게 감소하였고, 대신 고추와 마늘, 양파 등 경제성 작물의 경작면적은 급증하였다. 이로 인해 이들 경제성 작물은 결국 주기적인 가격 파동에 빠지게 되었다. 더욱이 작황 부진으로 생산량이 감소하여 시장가격이 높아지면 외국으로부터 다량의 농산물 수입이 신속하게 이루어졌고, 따라서 많은 경우 농산물 가격은 낮은 수준에 묶여졌다. 소득 증가에 따른 과일류 수요 증가는 외국산 과일의 수입 확대로 국내산 과일에 대한 대체 수요를 분산시켜 버렸다.

소비자의 기호를 변화시키고, 이를 빌미로 수입을 부추긴 경우도 있다. 그 대표적인 예가 쇠고기라고 할 수 있다. 정부의 축산 장려책으로 소의 사육 두수가 1974년도에는 1972년에 비해 무려 34%나 크게 증가되어 공급과잉으로 인한 가격 하락이 예견되었고, 1972년의 식량 위기로 사료 곡물 가격이 급등했기 때문에 사육 농가들은 1974년 하반기부터 소를 방매하기 시작했다. 그 결과, 쇠고기 가격은 크게 떨어지고 소비량은 크게 늘어났다. 이후 국내의 쇠고기 생산량은 1977년의 경우 1975년에 비해 10% 정도 증가했다. 그럼에도 불구하고 1978년에는 국내 생산량의 50%를 넘는 쇠고기를 수입했고, 과다한 물량의 도입으로 쇠고기 가격은 낮은 수준에서 유지되었다. 그리고 육류 사이의 높은 대체성으로 인해 낮은 쇠고기 가격은 돼지고기 가격의 하락을 가져오게 되었고, 축산 부문의 생산 집중이 현저하게 진행되었다(윤병선, 1992).

　정부는 1980년대에 들어서면서부터 신자유주의 개방 농업정책을 본격화했다. 몇 차례의 수입자유화 조치로 시작된 농산물 시장의 개방은 우루과이라운드를 통해 전면화 되었다. 그리고 WTO의 출범 이후 DDA가 답보 상태에 머물면서 다자간 무역협상은 위기를 맞이하고 있으나, 한국 정부는 동시다발적 FTA 추진을 통해 농산물 시장의 전면 개방으로 나아가고 있다. 위와 같은 과정을 통해 현재 한국 농업은 초국적 농식품 복합체가 지배하는 세계 농식품 체계로 완전히 편입되기에 이르렀다. 즉, 곡물 자급률 23.1%(2013년), 쌀을 제외한 3대 곡물(소맥, 대두, 옥수수)의 4대 곡물 메이저 기업(Cargill, ADM, Bunge, Louis Dreyfus)에 대한 의존 비율 56.9%라는 참혹한 결과로 나타났다(김화년 외, 2010). 예컨대 1년에 1인당 30kg 이상을 소비하고 있는 소맥의 경우 자급률이 1% 내외로, 수입량의 46.8%가 4대 곡물 메이저 기업을 통해 들어오고 있다. 사료로 많이 사용되는 대두와 옥수수의 경우에도 곡물 메이저들에 대한 의존도가 높다. 이러한 세계 농식품 복합체에 대한 높은 의존성이 한국 농식품 체계의 취약성의 근본 원인이며, 국가적 차원에서 대응할 수 있는 범위도 매우 제한적이다.

농업 위기의 실태

식량 자급력의 악화

농업 생산이 위축되고 있는 가운데 농산물의 수입 개방의 전면화로 식량 작물의 생산 감소와 수입 대체 현상이 일반화되었고, 그 결과 곡물 자급률은 급격하게 하락하였다. 1970년에 80.5%였던 곡물 자급률은 2013년에는 23.1%의 자급률을 보이고 있다. 특히 두류의 자급률은 같은 기간 동안 86.1%에서 9.7%로, 밀은 15.4%에서 0.5%로 급락했다. 이와 같이 낮은 곡물 자급률은 2008년의 세계적 식량 위기에서 볼 수 있듯이, 세계적인 기상재해 등으로 곡물 생산량이 급감할 경우 큰 혼란을 초래할 수 있다(표 2-6 참조).

농가 교역조건의 악화

신자유주의 세계화가 농업 부분에서 전면적으로 이루어지면서 자본에 의한 농업 지배가 한층 강화된다. 그 결과, 자본에 의해서 생산된 생산물(종자, 비료, 농약, 농기구 등)과 농민이 생산한 농산물 사이에 부등가교환이 이루어져, 농민으로부터 가치 수

년도	계	쌀	보리쌀	밀	옥수수	두류	서류	기타
1970	80.5	93.1	106.3	15.4	18.9	86.1	100.0	96.9
1975	73.1	94.6	92.0	5.7	8.3	85.8	100.0	100.0
1980	56.0	95.1	57.6	4.8	5.9	35.1	100.0	89.8
1985	48.4	103.3	63.7	0.4	4.1	22.5	100.0	11.6
1990	43.1	108.3	97.4	0.05	1.9	20.1	95.6	13.9
1995	29.1	91.4	67.0	0.3	1.1	9.9	98.4	3.8
2000	29.7	102.9	46.9	0.1	0.9	6.4	99.3	5.2
2005	29.4	102.0	60.0	0.2	0.9	9.7	98.6	10.0
2010	26.7	104.6	24.3	0.9	0.9	10.1	98.7	9.7
2013(P)	23.1	89.2	19.9	0.5	1.0	9.7	96.2	8.4

표 2-6. 곡물 자급률 추이
자료: 농림수산식품부, 「농림업주요통계」, 각년판.

탈이 심화된다. 첫째, 농기계, 비료, 농약 등 농업 자재 생산의 대부분은 독점자본의 지배하에 놓여 있다. 따라서 농업용 자재는 독점자본이 생산·시장에서의 독점적 지위를 이용하여 서로 협정을 맺고 생산가격보다 훨씬 높은 가격, 즉 독점가격으로 판매한다. 이 독점가격에 의한 농업 자재의 가격 상승은 농업경영비를 증대시켜 최종적으로는 농가의 소득 감소를 가져온다. 둘째, 농산물 시장을 통한 가치 수탈이다. 신자유주의 세계화로 농업에서 상품생산은 현저하게 진전되고, 이에 따라 시장에서 생산자들 사이의 경쟁은 더욱 치열해진다. 한편, 농산물의 구입자인 가공·유통 부문에서는 독점화가 진전되어 소수의 독점적 가공 메이커나 유통업자의 지배력이 강해진다. 그 결과, 농산물의 판매자와 구매자 사이에 '시장의 역학'의 차가 발생한다. 독

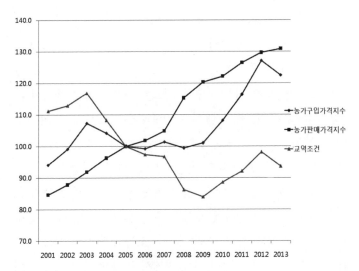

그림 2-1. 농가 교역조건 추이 (2005년 = 100)

점적인 가공업체나 유통업자는 시장에서의 힘의 차이를 배경으로 농산물의 가격 인하를 강행한다. 이러한 사실은 농가 투입재와 농산물 사이의 교역조건을 통해서도 확인할 수 있다.

그림 2-1을 통해서 확인할 수 있는 바와 같이, 농가 구입 가격지수의 상승률이 농가 판매 가격지수의 상승률을 앞서게 되면서 농가의 교역조건은 악화되어 왔다.

도농 간 소득 격차의 확대

농업 소득의 감소와 이에 따른 농가 소득의 정체로 인해서 도시 근로자 가구 소득과 농가 소득의 격차가 확대되었다. 도시 근로자 가구 소득과 농가 소득의 비교 자체는 문제를 가지고 있다. 농가 소득은 농업 소득, 농외소득, 이전수입 등의 총계이고, 영농에 참가한 가족 전체의 소득이 포함되어 있는데 반해서, 도시 근로자 가구 소득은 근로소득이 전체 소득에서 차지하는 비중이 월등하게 높다(2013년의 경우 도시 근로자 가구 소득에서 근로소득이 차지하는 비중은 87%에 이른다). 더욱이 영농을 위해서 노동력뿐만 아니라 생산수단을 제공·지출하는 농가와 '노동력'을 제공하고 임금을 받는 근로자 가구의 소득 비교는 농가 소득이 과다하게 계상될 우려가 있다. 그럼에도 불구하고 농가 소득과 도시 근로자 가구 소득의 격차는 계속 확대되고 있다. 도시 가구 소득과 대비해서 농가 소득은 1985년에는 1.12배에 달했지만, 1995년에는 0.95배, 2005년에는 0.78배, 2013년에는 0.63배 수준에 그치고 있다.

농산물 가격 폭락과 춘궁기 농촌

봄의 정취는 언제나 싱그럽다.

다른 해보다 빨리 다가온 봄기운으로 겨우내 움츠렸던 땅에서는 생명
의 온기가 돋아난다. 골격미를 자랑했던 산 여기저기는 초록으로 치장할
준비를 하고, 벌써 들녘은 물기를 머금고 있다. 이런 자연의 생동감에서
힘을 더해 주는 것은 바로 그 들녘에 우리 농민이 있기 때문이다. 산과 들
녘이 봄기운의 가운데 있더라도 거기에 농민이 없다면 그곳은 우리의 삶
이 녹아 있는 생동의 공간이 아니다. 따스한 봄볕 한가운데에 있으면서도
마음의 허전함이 여전한 것은 우리 농민의 팍팍한 삶 때문이다.

봄은 왔건만 봄이 아니다

농업의 어려움은 어제 오늘의 일은 아니지만, 최근 몇 년 동안 겨울을
보내고 봄을 맞이하는 농민의 마음은 항상 무겁기만 하다. 지지난 겨울에
농민들은 극심한 한파로 여느 때보다 힘든 계절을 보냈다. 맹추위와 싸우
느라 연료비를 감당하기 어려웠던 겨울이었다. 그리고 지난겨울엔 의외로
따뜻한 날씨가 이어지면서 이 봄에는 풍년기근과 싸우고 있다.

농가 소득에서 농업 소득이 차지하는 비중이 30% 이하로 떨어진 지 오
래고, 2만 평은 지어야 농업 소득으로 가계비를 충당할 수 있는 세상이
되어 버렸지만, 올봄의 농산물 가격은 농민들에게는 억장이 무너지는 상
황이다. 지난 4월 4일 유통공사에서 발표한 농축산물 소비자가격 동향
을 보면, 전년 같은 시기와 대비해서 가격이 올라간 것은 손에 꼽을 정도

다. 축산물인 돼지고기와 계란 가격 이외에 가격이 오른 농산물은 애호박 (19.7%)과 풋고추(0.3%)뿐이다. 그 외 품목들의 가격 폭락 수준을 보면 억 소리가 날 지경이다. 작년 4월 초순과 비교했을 때 당근 69%, 양파 57%, 배추 54%, 대파 40%, 양배추 33%, 건고추 30%, 깐마늘 22% 등 폭락이 라는 말로도 표현할 수 없을 정도로 가격이 엉망이다. 소비자가격의 폭락 수준이 이 정도인 것을 보면 그간의 경험에 미뤄 볼 때 산지 가격은 이보 다도 형편없을 것이라는 점은 자명하다.

그런데 이러한 가격 폭락이 이미 예견되었음에도 이에 대한 대응이 미 흡했다는 점에서 많은 아쉬움이 남는다. 양파만 하더라도 2013년산 재고 량은 3월 말 기준 5만 6,000톤으로 전년보다 2만 5,000톤이 많은 물량을 갖고 있었고, 재배 면적은 전년 대비 10% 이상 증가한데다 작황도 좋아서 생산량은 전년보다 8% 이상 증가한 129만 4,000톤에 달하는 등 가격 폭 락이 예견되는 상황임에도 불구하고 이에 대한 선제적 대응 시기를 놓쳐 버렸다. 또한 같은 기간에 수입된 6만 톤의 물량도 재고 압박에 가세했다. 특히 출하를 앞두고 있는 조생종 양파의 재배 면적은 전년 대비 33%나 증가했고, 수확량은 거의 46% 증가하는 등 기존의 재고 양파와 조생종이 시장에서 만나는 상황을 그대로 방치할 경우에는 올 한해의 양파 값은 그 야말로 예측불허의 상태에 빠질 수밖에 없다.

비정상의 정상화의 길

이런 상황에서 '수급조절위원회'를 통해서 양파 수급 안정을 위한 '2014년 양파 농·소·상·정 유통협약'이 얼마나 효과를 발휘하는지 의 구심이 갈 수밖에 없다. 마늘도 문제다. 재고량은 많은데 생육이 좋고, 중 국의 마늘 값 폭락에 따른 수입 증가 등으로 양파만큼이나 '막장'으로 향 할 가능성이 크다. 재고량이 많아지면 정부가 의례적으로 내놓는 정책은 누구나 다 알고 있다. 소비자를 대상으로 한 홍보를 통해 소비를 확대하는 것, 가공을 통해 시장 유통 물량을 감축시키는 것, 농민들이 자율적으로 재배 면적과 생산량을 조정하라는 것, 가격 하락 시에 자조금을 활용하여 자율적으로 감축하라는 것, 대형 유통 법인이나 도매시장에 대한 가격 협상력을 확보하라는 것 등이 대표적인 정책이고, 이번에도 이 낯익은 정책은 언론에 등장했다.

그러나 중요한 것은 '수급' 자체에 있지 않다. 농업 생산의 지속 가능성이다. 우리가 가격 폭락을 걱정하는 것은 이러한 주기적인 가격 폭락이 농업 생산 기반을 악화시키고, 이로 인해 우리의 농업과 농촌이 망가지기 때문이다. 임기응변식 대응으로는 농업 생산의 지속가능성을 담보할 수 없다. 장기적인 대책이 필요한 이유는 이 때문이다. 대형 유통 법인이나 도매시장에 대해서 가격 협상력을 확보하고 싶지 않은 농민이 어디 있겠는가? 중요한 것은 이를 제도화하는 것이다. 품목별 협동조합의 육성이 그래서 필요한 것이다. 이런 상황에서 농협이 제 역할만 수행하는 사회에서 우리 농민들이 살고 있어도 그 고통이 이렇게 크지는 않을 것이다. 또한, 지금까지 주산단지화를 통해서 경쟁력을 키우겠다는 농정의 희생양이 된 농민들에 대하여 '수급'만을 이야기하고 '생산비' 이야기는 꺼내지도 않는 것은 비겁한 농정이다. 다행히 최근 음성군과 진도군 등을 비롯한 기초자치단체에서 농산물의 최저 생산비를 보전하기 위한 기금을 설치하기 위한 조례가 제정되었고, 충북도와 같은 광역자치단체는 기초자치단체의 이러한 활동에 힘을 더하는 조례를 제정하기도 했다. 끊임없이 반복되고 악화되는 농산물 가격 폭락 문제를 풀어내기 위해서는 또 다른 많은 고민들이 필요하다.

윤병선, 『한국농어민신문』, 2014. 4. 14.

(보론) 한국 농업 구조의 변화와 농가 경제*

1. 농업 생산력 구조의 변화

농업 생산력이란 농업 생산에서 발휘되는 인간 노동 자체의 사회적 역량, 즉 농업 노동의 생산력을 의미한다. 농업은 생산 과정에서 광범하게 자연력을 이용하면서 자연과 유기적 관계를 맺는데, 이러한 농업 생산의 특수성 때문에 농업 생산력이 특별 하게 문제로 대두된다. 농업 생산력을 구성하고 있는 것은 농업 노동력과 농업 노동대상(토지, 종자) 및 농업 노동수단(농기계, 비료, 농약 등)이다.

1) 농지 이용 현황

생산과정이 다르면 토지가 수행하는 역할도 다르게 된다. 공업의 경우, 토지는 공장이 들어서는 장소로 단지 적재 수단(積載手段)으로 기능하지만, 농업에서 토지는 단순한 땅이 아니라 작물에 대하여 수분과 양분을 공급하는 토양이다. 따라서 토지

---

* 이 글은 필자가 『새로운 농촌사회학』(한국농촌사회학회, 집문당, 2012)에 게재한 내용의 일부를 보완한 것임.

	국토면적	경지면적	경지이용률	작물별 경지이용면적										
				식량작물						채소	특용작물	과수	뽕밭	기타
				소계	미곡	맥류	두류	서류	잡곡					
1970	9,848	2,298	142.1	2,706	1,203	1,075	365	181	123	254	89	60	85	70
1975	9,848	2,240	140.4	2,522	1,218	761	324	146	73	244	118	74	43	143
1980	9,899	2,196	125.3	1,982	1,233	360	244	92	53	359	118	99	27	180
1985	9,912	2,144	120.4	1,780	1,237	242	196	65	40	337	133	109	12	221
1990	9,926	2,109	113.3	1,669	1,244	160	188	40	37	277	130	132	8	195
1995	9,927	1,985	108.1	1,346	1,056	90	132	40	28	322	122	172	2	233
2000	9,946	1,889	110.5	1,316	1,072	68	107	44	25	296	92	169	1	224
2005	9,965	1,824	104.7	1,232	980	61	118	48	26	240	77	150	1	222
2010	10,003	1,715	109.0	1,093	892	51	83	42	25	211	86	156	-	279
2013	10,027	1,711	108.2	1,038	833	33	96	48	28	223	73	153	-	262

표 2-7. 경지 이용 상황(단위: 천 ha)
자료: 농림(수산)부, 「농림통계연보」, 각년판.

가 생산을 위한 일반적인 조건에 불과한 것이 아니라, 살아 있는 생산력으로서, 직접적인 생산수단으로서 기능하고 있다는 점에 농업 생산이 갖는 고유한 특징이 있다고 할 수 있다.

이러한 토지가 농업 생산에서 어떻게 이용되고 있는가를 직접적으로 확인할 수 있는 지표가 경지 이용 상황이다. 2013년 현재 우리나라의 국토 면적은 1,002만 7천 ha이고, 이 중 경지 면적은 171만 1천 ha로 매년 감소되는 경향을 보이고 있다. 이는 경제성장 과정에서 필요한 공업 용지와 택지조성이 농지의 잠식으로 이루어진 결과이다. 이러한 농지의 외연적 축소와 함께 내포적 의미의 경지 축소도 함께 나타났는데, 경지 이용률은 1970년의 142.1%에서 2013년 현재 108.2%를 기록하고 있다 (표 2-7 참조).

한편, 작물별 경지 이용 상황을 보면, 식량 작물의 재배 면적

은 1970년 270만 6천 ha에서 2013년 103만 8천 ha로 절반에
도 훨씬 못 미치는 수준으로 감소하였다. 맥류와 잡곡의 재배
면적은 같은 기간 동안 크게 감소했지만, 1990년대까지 미곡의
재배 면적이 감소하지 않고 유지될 수 있었던 것은 수매 제도
등을 통해 쌀값이 상대적으로 좋았기 때문이다. 그러나 90년대
이후 쌀값에 대한 정부의 지지 정책이 후퇴하고 쌀 수입이 이
루어지면서 미곡의 재배 면적도 감소하고 있다. 곡물 자급률이
23% 정도에 불과한 상황에서 식량 작물의 재배 면적이 지속적
으로 감소하고 있다는 사실은 식량의 안정적인 확보가 심각한
상황임을 보여 주는 것이라고 할 수 있다.

2) 경지 규모별 농가 분포

경지 규모별 분포는 녹색혁명형 농업과 개방 농정이 이루어
지는 가운데 1990년경까지는 0.5ha 미만의 영세농층이 지속적
으로 감소하고 규모가 큰 대농층이 증가하는 전반적인 상향 이
동의 방향으로 변화되어 왔다. 이는 농업 소득으로 가계비를
충족하기 위해서는 경영 규모를 늘리지 않을 수 없었기 때문인
것으로 보인다. 그러나 1990년 이후에는 농가의 경영 규모별
농가 분포가 구조적 변화를 보이고 있다. 즉, 이전 시기와는 대
조적으로 0.5ha 이하층과 2.0ha 이상층의 비율이 늘어나고 있
다는 점이다. 2000년 이후에도 이러한 경향이 지속되고 있는데,
증가하는 계층의 분기점이 상향 이동하여 1.0ha 미만층의 농
가 수는 절대적으로나 상대적으로 증가하고 있다. 반면 대규모

	경종외 농가	0.1ha 미만	0.1-0.5ha	0.5-1.0ha	1.0-1.5ha	1.5-2.0ha	2.0-3.0ha	3.0ha 이상	농가 호수
1970	72 (2.9)	26 (1.0)	761 (30.6)	824 (33.2)	446 (18.0)	193 (7.8)	124 (5.0)	37 (1.5)	2,483 (100.0)
1975	94 (4.0)	2 (0.1)	689 (29.0)	828 (34.8)	431 (18.1)	187 (7.9)	112 (4.7)	36 (1.5)	2,379 (100.0)
1980	28 (1.3)	14 (0.6)	598 (27.7)	748 (34.7)	438 (20.3)	191 (8.9)	109 (5.1)	31 (1.4)	2,156 (100.0)
1985	46 (2.4)	9 (0.5)	525 (27.3)	686 (35.6)	390 (20.2)	160 (8.3)	87 (4.5)	23 (1.2)	1,926 (100.0)
1990	24 (1.4)	15 (0.8)	468 (26.5)	544 (30.8)	352 (19.9)	191 (10.8)	129 (7.3)	44 (2.5)	1,767 (100.0)
1995	24 (1.6)	16 (1.1)	417 (27.8)	432 (28.8)	265 (17.7)	153 (10.2)	123 (8.2)	70 (4.7)	1,501 (100.0)
2000	14 (1.0)	30 (2.2)	410 (29.6)	379 (27.4)	219 (15.8)	132 (9.5)	114 (8.2)	85 (6.1)	1,383 (100.0)
2005	17 (1.3)	38 (3.0)	419 (32.9)	330 (25.9)	174 (13.7)	107 (8.4)	93 (7.3)	93 (7.3)	1,273 (100.0)
2010	14 (1.2)	23 (2.0)	450 (38.2)	288 (24.5)	142 (12.1)	87 (7.4)	78 (6.6)	97 (8.2)	1,177 (100.0)
2013	10 (0.9)	15 (1.3)	460 (40.3)	269 (23.6)	133 (11.6)	81 (7.1)	74 (6.5)	99 (8.7)	1,142 (100.0)

표 2-8. 경지 규모별 농가 분포 및 연평균 변화율(단위: 천 호, %)
자료: 농업조사(통계청), 농림어업총조사(통계청)

농가의 증가하는 계층의 분기점 역시 상향 이동하여 3.0ha 이상 층에서도 농가수가 절대적으로 증가한 것으로 나타나고 있다. 반면 1~3ha층의 경영 농가는 절대적으로 그리고 상대적으로 감소한 것으로 나타난다. 이를 통해 1990년 이후 농가의 계층 간 이동이 활발했던 것으로 추정되는데, 1~3ha층을 중심으로 일부 농가가 경영 규모를 축소하여 하향 이동한 반면, 일부 농가는 경영 규모를 확대하여 상향 이동한 것으로 판단된다(표 2-8 참조).

	1970	1975	1980	1985	1990	1995	2000	2005	2010	2013
총인구	32,241	35,281	38,124	40,806	42,793	44,406	46,333	47,041	49,410	50,220
농가 인구	14,422	13,244	10,827	8,521	6,661	4,851	4,031	3,434	3,063	2,847
(총인구 대비)	44.7	37.5	28.9	20.8	15.3	10.9	8.7	7.3	6.4	5.7

표 2-9. 농가 인구의 변화(단위: 천 명, %)
자료: 농업조사(통계청), 농림어업총조사(통계청)

3) 농가 인구의 구성과 변화

한국 사회는 1960년대 이후 급격한 경제성장과 산업화로 인한 급격한 도시화와 농촌인구의 절대적·상대적 감소, 이로 인한 지역 간·산업 간 불균형을 경험해 오고 있다. 경제가 성장함에 따라 농업의 비중은 상대적으로 낮아지는 것이 일반적이고, 이에 따라 농가 인구의 절대적·상대적 감소 또한 필연적이라고 할 수 있다. 하지만 우리나라와 같이 단기간에 농가 인구가 급속도로 감소된 사례는 찾아보기 힘들다.

우리나라의 농가 인구는 1970년대 후반에 급격하게 감소하기 시작하였는데, 총인구 중 농가 인구가 차지하는 비중은 1970년의 44.7%에서 1980년에는 28.9%로 감소했으며, 그 후 크게 감소하여 1990년에 총인구의 15.3%인 666만 명, 2013년에는 5.7%인 285만 명으로 급감하였다. 지난 40여 년 동안 농가 인구는 1/4로 축소되었다. 이러한 농가 인구의 급격한 감소는 농업 노동력의 질적 저하를 가져왔다(표 2-9 참조).

	총농가	30세 미만		30~49세		50~59세		60세 이상	
		호 수	비 율	호 수	비 율	호 수	비 율	호 수	비 율
1981	2,030	104	5.1	936	46.1	555	27.3	435	21.5
1985	1,926	99	5.0	789	41.0	582	30.2	493	25.9
1990	1,767	37	2.1	594	33.6	584	33.0	552	31.3
1995	1,500	12	0.8	406	27.1	447	29.8	635	42.3
2000	1,383	7	0.6	322	23.3	348	25.2	706	51.1
2005	1,273	2	0.2	226	17.7	303	23.8	741	58.3
2010	1,177	2	0.2	172	14.6	287	24.4	717	60.9

표 2-10. 농업경영주의 연령별 분포(단위: 천 호, %)
자료: 농림어업총조사(통계청)

　농업 노동력의 질적 하락은 농업경영주의 연령별 분포를 통하여 확인할 수 있는데, 농업경영주의 연령별 분포를 보더라도 농업 노동력의 노령화가 심각할 정도로 빠르게 진행되고 있는 것을 알 수 있다. 1981년의 경우 30세 미만의 농업경영주의 비율은 5%를 넘었으나, 1990년에는 2.1%로 크게 감소하였고, 2010년에는 0.2%에 불과하게 되었다. 또한 30~49세의 농업경영주의 비율도 1981년의 46.1%에서 2010년에는 14.6%로 크게 하락하였다. 그러나 60세 이상의 비율은 같은 기간 동안 21.5%에서 60.9%로 급격하게 늘어났다. 또한, 농업경영주의 노령화와 함께 여성 경영주의 비중도 늘어나고 있다. 이와 대조적으로 30대와 40대 청년 경영주의 비중은 2010년에 14.6%에 불과한데, 1981년의 46.1%, 1990년의 33.6%와 비교해 볼 때 지속적으로 그 비중이 낮아졌음을 알 수 있다(표 2-10 참조).

년도	노동생산성 (원/시간)	노동 집약도 (시간/10a)	토지 생산성 (원/10a)	자본 생산성 (원/원)	자본 집약도 (원/10a)
1970	121	183.2	22,217	0.84	26,394
1975	511	159.0	82,578	0.81	100,904
1980	1,274	161.0	205,156	0.84	243,143
1985	2,318	168.8	391,360	0.69	570,159
1990	4,932	126.7	624,893	0.70	892,355
1995	9,387	106.6	954,171	0.61	1,574,839
2000	11,778	89.21	1,050,677	0.47	2,236,672
2005	12,297	92.76	1,140,668	0.36	3,137,691
2010	15,698	81.09	1,272,945	0.32	3,920,428
2013	16,119	87.68	1,413,258	0.29	4,792,608

표 2-11. 농업 생산성의 추이
주: 노동생산성 = 농업부가가치/영농시간, 노동집약도 = 영농시간/경지면적
   토지 생산성 = 농업부가가치/경지면적, 자본생산성 = 농업부가가치/농업자본액
   자본 집약도 = 농업자본액/경지면적
자료: 농림수산식품부, 「농림수산통계연보」, 각년판.

  한편, 농업 생산의 증가는 품종개량, 영농 기술의 개선, 농업 관련 기술의 발전에 의해서 이루어질 수 있는데, 경지면적이 지속적으로 감소되고 농업 노동력도 양적 · 질적으로 감소되는 상황에서 농업기술 발전에 의한 토지 생산성의 향상이 매우 중요한 의미를 갖게 된다. 그러나 표 2-11에서 보는 바와 같이 노동 생산성은 지속적으로 증가되고 있지만, 최근 토지 생산성의 증가 속도는 정체 상태에 있다. 특히 자본 생산성은 90년대에 들어선 이래 크게 감소하는 경향을 보이고 있는데, 이는 자본을 다량 투하하여 농업 생산의 증대를 꾀하려는 농정의 한계를 주

년도	농가 소득	농업 소득	농 외 소 득		
			겸업소득	사업이외 소득	이전소득
1970	256 (100)	194 (75.8)	10 (3.8)	31 (12.0)	22 (8.4)
1975	873 (100)	715 (81.9)	22 (2.3)	84 (9.7)	52 (5.9)
1980	2,693 (100)	1,755 (65.2)	67 (2.5)	489 (18.2)	383 (14.2)
1985	5,736 (100)	3,699 (64.5)	214 (3.7)	846 (14.7)	977 (17.0)
1990	11,026 (100)	6,264 (56.8)	589 (5.3)	2,252 (20.4)	1,921 (17.4)
1995	21,803 (100)	10,469 (48.0)	1,527 (7.0)	5,404 (24.8)	4,403 (20.2)
2000	23,072 (100)	10,897 (47.2)	1,435 (6.2)	5,997 (26.0)	4,743 (20.6)
2005	30,503 (100)	11,815 (38.7)	2,531 (8.3)	7,353 (24.1)	8,803 (28.9)
2010	32,121 (100)	10,098 (31.4)	3,467 (10.8)	9,480 (29.5)	9,077 (28.3)
2013	34,524 (100)	10,035 (29.0)	4,182 (12.1)	11,523 (33.4)	8,784 (25.4)

표 2-12. 농가 소득의 구성과 추이(단위: 천 원, %)
주: 1983년도부터는 이전소득이 사업이외소득에서 분리되어 독립적인 항목으로 분류됨.
　　1983년 이전의 금액은 사업이외소득에서 사례금 · 송금보조 · 피증보조를 추출해 낸 것임.
　　2003년 이후 이전소득에 비경상소득(경조수입, 퇴직일시금 등) 포함.
자료: 농가 경제(조사결과보고)통계, 각년판.

장할 수 있는 근거이기도 하다(표 2-11 참조).

2. 농가 경제의 변화

1) 농가 소득과 농업 소득

농가 소득은 농업 소득과 농외소득(겸업소득, 사업외소득, 이전
소득)으로 구성되는데, 이는 농가의 경제적 지위를 평가할 수
있는 지표이다. 농업 소득은 농작물 수입과 축산 · 농산물 가공
수입 등으로 이루어지는 농작물 이외 수입을 합계한 농업 총수

입에서 농업 생산에 투입된 농업경영비를 뺀 것으로, 농업 소득이 농가 소득에서 차지하는 비중은 70년대 중반 이후 계속 감소되어 왔다. 농가 소득에 대한 농업 소득의 비중을 나타내는 '농업 소득 의존도'는 농가 내에서 농업경영의 중요도, 즉 농가 경제에서 농업 소득이 갖는 의의를 보여 주는 지표이다. 이것은 일반적으로 경지 규모가 큰 농가일수록 높고 작은 농가일수록 낮다. 1970년대 초·중반을 제외하고는 농가 소득의 농업 소득 의존도가 지속적으로 하락했는데, 농산물 시장 개방이 본격화된 1980년대 후반 이후 농업 소득의 비중은 크게 감소하여 2005년경부터는 40% 이하로 떨어졌고, 2009년에는 31.5%에 불과하게 되었다.

한편, 90년대 중반에는 농외소득이 차지하는 비중이 농업 소득보다 높아지기 시작했는데, 농외소득의 증대는 정부의 농외소득 개발 정책의 결과라고도 할 수 있지만, 이보다는 송금보조 및 피증보조, 비경상소득이 이전소득에 포함되면서 이전소득이 과대평가된 측면도 있다. 이전소득이 농가 소득에서 차지하는 비중은 1970년의 8.4%에서 2013년에는 25.4%로 급증했는데, 이전소득에는 농가의 경영 활동과는 무관한 사례금, 송금보조, 경조수입, 퇴직일시금 등도 포함되어 있어서 농가 소득이 과대평가되고 있다는 점을 간과할 수 없다(표 2-12 참조).

2) 농업 소득의 가계비 충족도

농가 경제에서 농업 소득이 갖는 의의와 관련해서 살펴볼 수

년도	경지 규모별 농업 소득의 가계비 충족도					
	평 균	0.5 ha미만	0.5~1.0 ha	1.0~1.5 ha	1.5~2.0 ha	2.0 ha이상*
1970	93.4	54.3	88.3	103.6	119.3	112.4
1975	116.0	78.3	107.8	124.0	138.5	149.5
1980	82.0	39.6	75.1	89.9	101.5	124.4
1985	78.9	35.6	53.6	82.9	103.0	115.2
1990	76.1	33.5	56.3	84.3	96.5	105.5
1995	70.8	34.5	55.3	81.5	89.8	117.5
2000	63.6	17.2	42.8	69.4	77.8	93.3
2005	44.3	16.1	25.4	36.3	51.2	60.1
2010	36.5	9.6	31.6	38.2	36.5	41.2

표 2-13. 농업 소득의 가계비 충족도(단위: %)
주: 농업 소득 가계비 충족도 = (농업 소득/가계비)×100.
　　* 2000년 이후는 2.0~3.0ha
자료: 농림(수산)부, 「농가경제조사결과보고」, 각년판.

있는 또 하나의 지표가 가계비 중에서 농업 소득이 차지하는 비중을 나타내는 '농업 소득의 가계비 충족도'이다. 농업 소득의 가계비 충족도는 평균적으로 1970년대 중반까지 점차 상승하다가 1970년대 후반부터 지속적으로 하락하고 있다. 1975년에는 농업 소득만으로도 가계비를 충족시킬 수 있었으나, 2010년에는 36.5%도 충족시킬 수 없는 상황이 되어 버렸다. 이는 농가 경제에서 농업경영이 갖는 의미가 점차 줄어들고 있음을 보여 주는 하나의 지표로서, 농업 소득으로 가계비를 충족시킬 수 있는 경지 규모가 점차 커져 가고 있다는 것을 지적할 수 있다. 즉, 1975년의 경우는 경지 규모가 0.5ha 이상이면 농업 소

	총농가수	전 업		겸 업					
		소 계		소 계		1종		2종	
		호 수	비 율	호 수	비 율	호 수	비 율	호 수	비 율
1970	2,483	1,681	(67.7)	802	(32.3)	488	(60.8)	314	(39.2)
1975	2,379	1,917	(80.6)	462	(19.4)	298	(64.5)	164	(35.5)
1980	2,155	1,642	(76.2)	513	(23.8)	295	(57.5)	218	(42.5)
1985	1,926	1,518	(78.8)	408	(21.2)	168	(41.2)	240	(58.8)
1990	1,767	1,052	(59.6)	715	(40.4)	389	(55.7)	326	(44.3)
1995	1,501	849	(56.6)	652	(43.4)	277	(42.5)	374	(57.5)
2000	1,383	902	(65.2)	481	(34.8)	225	(46.7)	257	(53.3)
2005	1,273	796	(62.6)	477	(37.4)	165	(34.6)	311	(65.4)
2010	1,177	627	(53.3)	550	(46.7)	193	(35.2)	356	(64.8)
2013	1,142	607	(53.2)	535	(46.8)	172	(32.1)	362	(67.7)

표 2-14. 전업·겸업별 농가 호수(단위: 천 호, %)
주: 1종 겸업농가는 연간총수입 중 농업수입이 50% 이상인 겸업농가.
  2종 겸업농가는 연간총수입 중 농업수입이 50% 미만인 겸업농가.
자료: 농림수산식품부, 「농림업주요통계」, 각년판.

득만으로도 가계비를 충족시킬 수 있었지만, 1980년대에 접어
들어서는 그 기준이 1.5ha 이상으로 높아졌으며, 1990년대에는
다시 2.0ha 이상으로 높아졌고, 2000년 이후에는 3.0ha를 경작
하는 농가조차 농업 소득으로는 가계비를 충족시킬 수 없는 상
황이 되어 버렸다(표 2-13 참조).

한편, 농업경영을 통하여 가계비를 충족시키는 것이 어려워
지게 되면 농민들은 겸업이라는 형태로 활로를 모색하게 된다.
70년대 중반 이후 계속 감소 추세를 보이던 전업농의 비율은
최근 증가 추세를 보이고 있는데, 이는 농촌 지역의 농외소득

원 감소 및 도시 주변 지역의 취업 여건 악화로 겸업농가가 전업농가로 전환된 데 주로 기인한 것으로 보인다. 한편, 1980년대 중반 이후 빠른 속도로 늘어났던 제2종 겸업농가의 비율이 최근에 다시 증가하고 있는데, 이는 농업 소득의 감소를 겸업을 통해서 해결하려는 농가가 증가했기 때문인 것으로 볼 수 있다 (표 2-14 참조).

4. 새로운 패러다임의 모색 — 식량 주권

'식량 안보'에서 '식량 주권'으로

농업의 산업화와 먹거리의 상업화로 생산과 소비의 직접적 연계가 사라진 세계 농식품 체계에서는 먹거리의 안정적인 확보라는 문제가 중요한 사회적 의제가 될 수밖에 없다. 이른바 먹거리 보장을 위한 패러다임으로 제시된 식량 안보(food security)나 식량 주권(food sovereignty)이 여기에 해당한다.

사람들이 살아가는 데 필요한 식량, 먹거리를 안정적으로 제공하자는 취지를 갖고 있는 '식량 안보'라는 의제는 1972-74년의 세계 식량 위기를 계기로 등장했다. 그러나 안타깝게도 이 식량 안보 개념은 국제사회에서 미국의 패권이 흔들리고 미국식 발전주의 모델에 기초한 2차 먹거리 체제가 와해되어 가던 1970년대 후반에 농산물의 자유무역의 필요성을 뒷받침하는 논리로 활용되었다(송원규·윤병선, 2013). FAO(1996) 등에서는 "각각의 나라는 식량을 다른 나라로부터 간섭받지 않을 권리가 있고, 자국민에게 충분한 영양가를 공급할 권리가 있다"면서 식량 안보의 중요성을 강조하고 있지만, 식량 안보의 달성 수단으로 국내 생산뿐만 아니라, 식량 수입과 재고관리, 국제무역의 필요성이 주장된다. 여기서 일컫는 식량 수입과 재고관리는 각 국가 또는 지역의 자급력에 바탕을 둔 것이 아니라, 농산물의 자유무역에 의거한 식량의 확보 능력, 즉 안정적으로 농산물을 구매할 수 있는 능력의 확보를 지칭하는 것이다. 이처럼 식량 안보는 농산물 수입국이 자급력을 확보하기보다는 수입을 통해서 식량 안보를 확보하는 것이 효율적이라고 주장하는 미국을 비롯한 농산물 수출국의 비교 우위 논리로 이용되고 있다. 이런 점에서 식량 안보 개념은 농산물의 과잉을 배경으로 하는 자유무역의 확대와 미국을 비롯한 소수의 곡물 수출 국가의 이해가 반영된 패러다임에 불과하다고 할 수 있다. 2007~8년의 식량 위기 당시와 같이, 재고율의 하락과 투기 세력의 가세로 인해서 곡물 가격이 급등하고 있는 마당에 저개발국이 식량을 비축하고 재고를 관리한다는 것은 불가능한 일이다. 더욱이 외국에서 농산물을 수입하여 식량을 안정적으로 확보할 수 있다면 식량 안보는 달성될 수 있는 것이므로, 식량 안보에서는 자신이 필요로 하는 식량을 스스로 생산한다는 자급의 개념은 무시되어 버린다. 이런 이유로 과잉 농산물이라는 환경 속에서 전개되어 온 농산물의 무역자유화와 국제 곡물 시장에 의존하여 식량을 확보하는 것을 암묵적으로 전제하고 있는 식량 안보론은 일찍부터 비판을 받아 왔다. 식량 안보 패러다임 이전에 제시되었던 '식량권(right to food)'의 경우도 기본적인 인권의 개념임에도 불구하고, 제2차 세계대전 이후 1950년대부터 1970년대 초반에 이르기까지 마셜플랜을 비롯한 잉여농산물 원조를 통한 미국의 패권 강화와 냉전 체제의 공고화에 정치적으로 이용되어 미국식 발전주의 전파에 핵심적인 역할을 했다(윤병선 외, 2012).

FAO의 식량 안보론에 대항하여 1996년 비아 캄페시나(Via Campesina, 농민의 길: 1992년 결성된 세계 농민 조직으로 70여 개국 120여 농민 조직이 참여)는 식량 주권 개념을 제시하였다. 식량 주권 개념을 만든 주체들은 1980년대 이후로 신자유주의 세계화와 농산물의 무역자유화 과정에서 피해를 입은 농민들이라고 할 수 있다. 식량 주권 개념을 제시한 1996년의 문서에는 식량 주권이 식량 안보의 대안 개념이면서, 세계 농식품 체계의 메커니즘에 대한 대안적 농식품 체계의 원리임을 밝히고 있다. 즉, "먹거리는 기본적인 인권이다. 이 권리는 식량 주권이 보장된 체계에서만 실현이 가능하다. 식량 주권은 각국이 문화적·생산적 다양성을 존중받으며 기본적인 먹거리를 생산할 수 있는 역량을 유지하고 발전시킬 수 있는 국가적 권리이다. 우리는 우리의 영토 내에서 우리의 먹거리를 생산할 권리가 있다. 식량 주권은 진정한 식량 안보의 전제 조건이다"(La Via Campesina, 1996).

비아 캄페시나가 제창하는 식량 주권에는 다양한 논의들이

포함되어 있다. 여기에는 사람들이 자신의 먹거리와 농업을 결
정할 수 있는 권리, 지속가능한 발전을 달성하기 위하여 국내
농업 생산을 보호하고 무역을 규제하는 권리, 자신들의 시장에
값싼 상품이 들어오지 못하게 제한하는 권리, 무역을 부정하기
보다는 안전하고 건강하고 생태적으로 지속가능한 생산을 할
수 있는 권리 등을 포괄한다. 식량 주권은 농민을 위한, 농민의
정치적·경제적 권리뿐만 아니라 소비자의 권리까지 포괄하는
개념이다.

따라서 식량 주권은 식량 안보와 다음과 같은 점에서 큰 차
이를 갖고 있다. 식량 안보가 농업 관련 산업의 모델에 의존하
고 있다면, 식량 주권은 농생태적 관계에 근거하고 있다. 식량
안보가 녹색혁명형 농업에 의존하고 있다면, 식량 주권은 생태
적인 유기농업에 근거하고 있다. 또한 식량 안보가 세계 농식품
체계(global agri-food system)를 전제로 하고 있다면, 식량 주권
은 지역 농식품 체계(local agri-food system)를 근거로 하고 있
다. 따라서 식량 주권은 지속가능한 먹거리 체계를 목표로 하
며, 사회적으로 먹거리의 생산자와 소비자의 결정권을 확보하
는 것이며, 먹거리의 이동 거리(food mileage)를 축소하고, 농민
들에게 돌아가는 몫을 늘리고, 농업 생산과정에 상업용 종자나
비료를 비롯한 투입재의 외부 의존을 줄이는 것이다.

특히, 비아 캄페시나는 이 문서를 통해 현 농식품 체계의 두
가지 근본 문제를 지적하고 있다. 첫째, 먹거리를 기본적 인권
으로 규정하는 국제 규약의 기본 원칙이 식량 안보의 패러다임

하에서는 지켜지지 않고 있다는 것이다. 둘째, 현 농식품 체계에서는 먹거리의 생산, 소비와 분배라는 가장 중요하고 기본적인 활동에 대한 결정권이 국가와 생산자, 그리고 소비자에게 없다는 것이다. 비아 캄페시나는 식량 주권의 개념을 통해 농산물 자유무역의 패러다임으로 변질된 식량 안보 개념의 문제점을 지적함과 동시에 식량 주권의 실현을 통해서만 진정한 의미의 식량 안보가 가능하다고 주장하고 있다.

'식량 주권'의 특징

식량 주권은 기존의 국제사회에서 합의한 식량권, 식량 안보와 비교했을 때, 이들 개념을 포괄하거나 한계를 극복하는 내용을 담고 있다. 식량 주권은 인권으로서의 식량권의 개념을 포괄하고 있으며, 먹거리 보장이라는 목표에 대한 정의이기 때문에 목표의 달성을 위한 구체적인 전략과 정책이 필요한 식량 안보의 한계를 보완하고 있다. 이와 같은 장점과 가능성 때문에 식량 주권은 국제사회의 다양한 농민 단체, 시민사회단체, 그리고 연구자들에게 지지를 받고 있으며, 새로운 먹거리 보장의 패러다임이자 현 세계 농식품 체계를 개혁할 대안 패러다임으로서 주목 받고 있다.

비아 캄페시나가 제시한 '식량 주권 실현을 위한 7대 원칙'(Seven Principles to Achieve Food Sovereignty: '기본 인권으로서의 먹거리,' '굶주림의 세계화 끝내기,' '농업 개혁,' '먹거리 무역의 재조직,' '민주적 통제,' '전제 조건으로서의 사회 평화,' '자연 자원의 보호')을 통해 대안으로서의 식량 주권을 구성하고 있는 핵심 요소들을 확인할 수 있다.

첫째, 식량 주권은 먹거리를 기본적 인권으로 규정한 식량권 개념을 포괄하고 있다. 이는 현재 국제사회의 먹거리 보장 패러다임인 식량 안보가 인권으로서 먹거리에 대한 명확한 규정을 하지 않고 있다는 점에서 대조적이다.

둘째, 식량 주권은 지역성에 중점을 두고 있다. 이는 세계화된 농식품 체계가 제3세계의 농업 기반을 파괴하고 수출을 위한 환금성 작물 생산에 치중하도록 하면서 나타난 문제들을 해결하기 위한 것이다. 또한, 한 국가 내에서도 도시화와 도농 간의 격차로 인해 발생한 생산과 소비의 단절, 농촌의 후진성을 극복하는 의미도 담고 있다.

셋째, 식량 주권은 먹거리 체계의 민주화를 중요한 요소로 담고 있다. 이는 한 국가의 관점에서는 생산자인 농민들이 농업 정책의 결정권을 가지며, 생산에서 소외되어 있던 주체들이 함께 참여할 수 있는 권한을 가지는 것이다. 국제적 관점에서는 현재 초국적 농식품 복합체들이 지배하는 세계 농식품 체계에서 각국이 자신들의 농업과 먹거리 정책에 대해 스스로 결정하도록 하고, 주요 수출국과 초국적 기업에 유리한 규범이 강제되는 것에서 탈피하는 것이다.

넷째, 식량 주권은 농업과 먹거리의 생태성을 지향한다. 이는 과도한 투입재에 의존하는 산업화된 생산 모델에서 벗어나는

요소	원칙	방법
인권	기본 인권으로서의 먹거리	각국은 먹거리에 대한 접근을 헌법적 권리로서 보장함
	굶주림의 세계화 끝내기	지금까지 초국적 기업과 투기 자본을 옹호했던 국제기구들은 이들을 규제할 국제 규범을 만들어야 함
지역성	농업 개혁	농업·농촌에 대한 신용, 기술 등의 지도 농촌이 경제적·사회적으로 풍요로운 지역이 되도록 지원
	먹거리 무역의 재조직	지역의 자급을 중심으로 생산
민주성	농업 개혁	생산의 권리로부터 소외되었던 생산 주체들(무토지 농민, 여성, 이주민 등)에게 생산의 권리 보장
	먹거리 무역의 재조직	공정한 무역으로 전환 농민들은 덤핑, 수출 보조로 인한 피해에서 벗어나 자국민을 위해 먹거리를 생산할 권리를 보장받아야 함
	민주적 통제	국가적 차원: 농민들이 농업정책의 결정권을 가져야 함 국제적 차원: 각국은 WTO 등 국제기구들의 강제에서 벗어나 스스로 농식품 체계에 대한 결정권을 가져야 함
	사회 평화	소수 인종과 원주민에 대한 억압 중단
생태성	자연 자원의 보호	지속가능한 생산을 위해 토지, 물, 종자 등의 자연 자원을 생산 농민들이 스스로 관리할 수 있어야 함 화학적 투입재 의존, 상품화를 위한 단작, 산업화된 생산 모델에서 탈피 유전자원에 대한 특허권 반대
	사회 평화	강제적인 도시화와 탈농화 중단

표 2-15. 식량 주권의 핵심 요소와 원칙
자료: La Via Campesina(1996)에서 재구성

것이다. 또한 생산주의 패러다임에서 생태학적 통합 패러다임으로 전환하는 것을 의미한다.

식량 주권이 제시하는 대안적 먹거리 체계를 각 영역별로 구분해 보면, 먼저 생산 영역에서 지속가능성을 보장하기 위해서는 중소 가족농을 농업 생산의 핵심 주체로 하고, 이들의 생산 권리를 보장하기 위해 생산비 보장, 생산 자원에 대한 접근권 보장, 농업 신용이나 보조금 지급 등의 정책 시행을 주장하고 있다. 그리고 무엇보다 지역 소비를 위한 생산이 우선되어야 함을 강조한다. 또한 농산물 분배와 무역의 영역에서는 미국과 EU의 과잉생산과 덤핑이 사라져야 한다고 주장한다. 그리고 현재의 기업 먹거리 체계에서 초국적 농식품 복합체의 지배를 무너뜨리기 위해서 독점의 금지와 특허 및 유전자조작 기술의 금지를 주장하고 있다(표 2-15 참조).

식량 주권이 제시하는 대안 먹거리 체계

식량 주권의 개념과 식량 주권 운동은 기존의 다양한 대안 농업 운동, 대안 먹거리 운동을 포괄하는 통합적 운동으로서의 의의를 지니고 있다. 기존의 대안 농업 운동이 농업 생산에서의 기술적 관리에 집중하거나, 먹거리 체계 전반의 변화를 추구하기보다는 농업 생산과 생산자를 중심에 둔 운동이었던 것에 비해서, 그리고 기존의 대안 먹거리 운동이 기아의 해결이나 소비자 중심의 먹거리 안전에 집중했던 것에 비해서, 식량 주권 운

항목	신자유주의 모델	식량 주권 모델
무역	모든 것의 자유무역	농업과 먹거리는 제외
생산의 우선 목표	수출을 위한 생산	지역 시장을 위한 생산
농산물 가격	시장 원리(낮은 가격을 강요하는 메커니즘)	생산비와 농민과 농업 노동자의 인간다운 삶이 보장되는 공정한 가격
보조금	제3세계 국가들에게는 금지된 보조금이 미국과 유럽에게는 허용(대규모 농가에게 보조금이 집중)	타국에 피해를 주지 않는 보조금만 허용(예를 들면 직거래, 가격/소득 보조, 토양 보존, 지속가능한 농업으로의 전환 등을 목적으로 가족농에게 지급되는 보조금)
식품(먹거리)	상품	기본적 인권
생산 권한	경제적 효율성을 위한 선택	농민(농촌 거주자)의 권리
굶주림	낮은 생산성의 문제	접근성과 분배의 문제; 빈곤과 불평등으로 인한 문제
식량 안보	농산물 가격이 더 싼 곳으로부터 수입을 통해 달성	굶주린 사람들의 손에 생산이 이루어지는 것이 중요. 또는 지역에서 생산이 이루어지는 경우
생산 자원의 관리 (토지, 물, 산림)	민영화	지역·공동체의 관리
토지에 대한 접근	시장을 통해 해결	근본적 농지개혁을 통해 해결
종자	특허(상품)	농촌 사회와 문화에 신탁된 인류 공유의 재산(생명 특허 반대)
덤핑	문제의 핵심이 아님	반드시 금지되어야 함
과잉생산	개념상 과잉생산은 없음	농산물 가격 하락을 초래하고 농민을 가난하게 만듦; 미국과 EU 농산물에 대한 공급 관리가 필요
유전자조작(GM) 농산물	장래의 대세	건강과 환경에 유해; 불필요한 기술
영농 기술	산업농, 단일경작, 화학집약적; GMO	농생태적, 지속가능한 영농 방식, GMO 비사용
농민	시대착오적 존재; 비효율, 소멸될 존재	문화와 유전자원의 수호자; 생산 자원의 관리인, 지식의 보고
도시의 소비자	노동자의 임금은 가능한 한 낮게	생활비(임금)가 필요
대안 체계	불가능	가능하다는 사실이 충분히 입증

표 2-16. 신자유주의 모델과 식량 주권 모델
자료: Rosset, 2003.

동은 먹거리 체계 전반의 문제를 통합적으로 묶어 내고 있다는 특징을 가지고 있다(송원규·윤병선, 2013). 일반적으로 식량 주권이라는 말이 국가에게 부과된 역할로서 인식될 수도 있지만, 이 말은 먹거리의 독자성을 존중하는 의미를 내포하고 있다. 이른바 지역의 농민이나 그곳에 살고 있는 사람들이 살아가는 데 필요한 "농(農)과 식(食)의 존엄성"이 파괴되고 식과 농이 자연으로부터 괴리되었으며, 이는 자연환경이나 지역의 파괴로 연결되고, 결과적으로는 인류의 식량 안전보장의 기반을 무너뜨린다는 것이다. 이러한 주장은 특히 1996년의 식량 정상회담 이후 세계의 NGO, 특히 소농민의 세계적인 연대 운동에서 활발하게 전개되어 왔다(표 2-16 참조).

신자유주의 세계화와 기업 먹거리 체계는 중소 가족농의 몰락, 초국적 농식품 복합체의 지배 강화, 국가정책의 무력화 등을 가져왔다. 또한 양적인 성장만을 강조한 생산주의 패러다임과 먹거리의 안전보다 이윤을 중요시하는 초국적 농식품 복합체의 입장을 대변하는 생명과학 통합 패러다임이 중첩되면서 중소 농민들의 정책적 대응과 해결도 어려운 상황이다. 그러나 산업화, 지구화된 현재의 세계 농식품 체계의 문제점에 대한 인식과 대안적 체계에 대한 고민을 바탕으로 발생하고 발전해 온 다양한 대안 농업 운동들은 대안 농식품 체계에 대한 가능성도 보여 주고 있다. 특히, 기본적 인권으로서의 먹거리에 대한 권리 개념인 식량권의 의미를 포괄하면서 지역성, 생태성, 민주성을 바탕으로 대안 농식품 체계에 대한 정책적 틀거리를 제공하고 있는 식량 주권은 다양한 대안 농업 운동을 포괄할 수 있는 개념으로 주목받고 있다. 이 때문에 세계 농식품 체계의 지배적 모델인 미국식 농업 발전 모델과 현재의 기업 먹거리 체계 모델이 초래한 먹거리의 위기를 극복하기 위한 대안적 먹거리 체계 모델로서 식량 주권에 대한 관심도 높아지고 있다.

한국의 농업·먹거리의 위기 상황에서 식량 주권 운동의 패러다임이 시사하는 바는 크다. 한국은 신자유주의 개방 농정을 통해 세계 농식품 체계에 완전히 편입되어 세계적인 식량 위기를 그대로 직면하고 있다. 그리고 OECD 국가 중 최하위권에 머물고 있는 곡물 자급률이라는 양적인 식량 위기와 해마다 반복되는 각종 먹거리 안전사고 등 먹거리의 질적인 위기에 처해 있다. 또한 신자유주의 개방 농정의 틀에서 벗어나지 못하고 있는 현재의 농정 체계를 통해서는 지속가능한 농식품 체계로의 전환은 불가능하기 때문에, 식량 주권이 제시하고 있는 핵심 요소인 지역성, 민주성, 생태성에 기반한 지속가능한 농식품 체계로의 전환을 지역의 풀뿌리 운동에서부터 만들어 가야 한다는 인식이 그 어느 때보다 높아지고 있다.

한국에서 식량 주권과 관련된 논의는 2004년에 전국농민회총연맹(이하 전농)과 전국여성농민회총연합(이하 전여농)이 소농의 국제적인 연대 운동 단체인 비아 캄페시나에 가입하면서 본격적으로 이루어졌다고 할 수 있다(Yoon, Song and Lee, 2013). 전농과 전여농은 정부의 신자유주의 개방 농정, WTO와 FTA에 반대하는 투쟁 과정에서 국제 연대를 위해 비아 캄페시나에 가입하였다. 이후 비아 캄페시나를 통한 국제 연대 활동과 국내 식량 주권 운동을 전개하면서 식량 주권 실현을 위해 노력하고 있다. 특히 전여농의 경우, 정부의 신자유주의 개방 농업정책으로 인해 농업은 축소되고 농민은 감소하는 상황에서, 그리고 오랜 싸움으로 인해 농민운동의 대중성도 예전 같지 않은 상황에서, 기존의 '자주적 여성농민운동 강화'라는 목표와 함께 '식량 주권 실현'이라는 목표를 추가함으로써 질적으로 발전된 새로운 농민운동을 전개했다. 더욱이 전여농의 운동은 식량 주권 실현을 목표로 하면서 생산자와 소비자가 함께 하는 대중운동이라는 특징을 보이고 있다. 전여농의 대중운동은 토종 씨앗 지키기 사업과 '언니네 텃밭' 사업이라는 두 운동을 중심으로 이루어지고 있다. 토종 씨앗 지키기 사업은 2007년부터 전면적으로 시작되었는데, 지역 조사를 통해 토종 씨앗을 발굴하고, 채종포 운영, 1농가 1토종씨앗 지키기를 통해 확산되고 있다. 또한, 여성 농민들로 구성된 생산자 공동체에서 지속가능한 방법으로 생산된 건강한 제철 농산물을 소비자 회원에게 배송하는 언니네 텃밭 사업을 2009년부터 전개해 오고 있다. 이러한 활동이 가지고 있는 파급력은 2012년 10월 전여농이 제4회 식량 주권상(Food Sovereignty Prize)을 수상한 것으로도 확인할 수 있다.

그럼에도 불구하고 식량 주권 운동과 관련된 한국의 현 상황은 식량 주권 확립을 위한 다양한 논의와 고민은 존재하지만, 대안의 패러다임으로서 식량 주권에 대한 농민 단체와 시민사회단체들 사이의 적극적인 합의는 아직 부족하다고 할 수 있다. 식량 주권 운동은 신자유주의 세계화 속에서 발생하는 농업·농민 문제나 먹거리 문제를 단순히 농업과 농민에 국한된 것으로 보지 않고 농민과 소비자가 함께 해결해야 하는 문제로 보고 있다. 이러한 지향성을 염두에 둘 때, 먹거리 소비자인 일반 시민들과의 연대를 어떻게 구체적으로 풀어 나갈 것인가의 문제는 여전히 과제로 남아 있다고 할 수 있다.

세계 농식품 체계에 편입된 한국의 농식품

　전국여성농민회총연합(이하 '전여농')은 지난 2012년 10월 10일, 뉴욕에서 세계 식량 주권상(Food Sovereignty Prize)을 수상했다. 이 상은 '녹색혁명의 아버지'라 불리는 노먼 볼로그에 의해 제정된 세계 식량상(World Food Prize)에 대한 대안으로 만들어진 것이다. 세계 식량상이 기술을 통한 증산에 중점을 두는 반면, 세계 식량 주권상은 불공정한 세계 식량 체계에 의해 가장 큰 피해를 입은 이들이 제기하는 대안(해결책)을 지지한다.

　세계 188개국 중 14위 경제 규모를 가지고 있으면서 농업 비중은 GDP 기준 2%대에 불과한 한국에서 활동하고 있는 여성농민운동단체 전여농이 식량 주권상을 수상하게 된 경위를 알기 위해서는 오늘날의 세계 농식품 체계 하에서 한국 농업이 어떻게 굴절되어 왔는지를 살펴볼 필요가 있다. 한국은 지구상에서 가장 빠른 산업화를 경험한 나라 중의 하나다. 급속한 산업화로 농업은 급속하게 축소되었다. 1970년대 초 전체 인구의 50%에 달하던 농가 인구 비율은 2010년대에 접어들면서 7% 이하로 급락했고, 같은 기간 동안 농경지의 4분의 1 이상이 사라졌다. 경상가격 기준으로 지난 40여 년간 농가 소득은 120배 증가하는 데 그쳤지만, 농가 부채는 무려 1,600배 이상 증가했다. 한국 농업이 이처럼 급격한 해체 과정을 밟게 된 것은, 산업화 과정에서 세계 농식품 체계의 강고한 지배하에 놓이게 되었기 때문이다. 종자에서 식탁에 이르는 전 과정이 농기업들에 의해서 장악되면서 1970년대 중반에 70%를 넘던 곡물 자급률은 이제는 단지 20%를 넘고 있다. 그러나 이에 대응하는 한국 정부의 정책은 해외 식량 기지 개발이나 외국산 곡물의 안정적인 확보를 위한 방안 마련에 급급할 뿐, 소농의 보호를 통해서 국내 농업 생산을 확대하겠다는 의지는 보이지 않는다. 오히려 한-미 FTA와 한-EU FTA의 체결을 통해서 한국 농업은 세계 식품품 체계에 더욱 강고하게 편입되고 있다. 농민 희생을 강요하는 농업정책과 이에 따른 농업 해체에 직면한 한국의 농민들은 스스로가 이런 문제를 해결하지 않으면 안 되는 상황으로 내몰리고 있으며, 이는 전 세계 여러 지역의 소농들이 직면하고 있는 상황과 큰 차이가 없다고 할 수 있다.

1945년 해방 후 한국 농업은 미국 중심의 먹거리 체제(food regime)와 초국적 농식품 복합체가 지배하는 먹거리 체제로 편입되는 과정을 겪어 왔다. 그 과정은 3단계로 구분할 수 있다.

1단계. 한국 농업이 세계 식품품 체계로 편입되는 단초는 해방 이후, 특히 한국전쟁을 거치면서 다량의 미국 잉여농산물이 원조 물자로 공여되면서 시작되었다. 당시 한국은 미국에 있어서 중요한 지정학적 전선(前線)인 동시에 장래의 고객이었다. PL480호에 의거해서 한국에 유입된 과다한 미국산 농산물로 인해 국내 농산물의 시장가격은 생산비에 훨씬 미치지 못했고, 이에 따라 한국 농업의 생산 기반은 파괴되기 시작했다.

2단계. 1960년대 중반 이후 미국은 달러 위기를 해소하기 위한 방편의 하나로 잉여농산물의 무상 원조를 상업 베이스로 전환하였다. 미국의 농산물 원조 정책의 변화와 세계적 식량 위기를 계기로 한국 정부는 에너지 · 자본 집약적인 녹색혁명형 농업을 적극적으로 도입하였다. 농민들이 생산한 쌀의 수매가를 높이는 정책을 일시적으로 추진하는 한편, 새마을 운동을 추진하였다. 새마을운동은 정부의 강압적인 농촌 개발 정책으로서 정권의 독재적 성격과 결합되어 진행되었다. 개발 사업에 농민들이 강제적으로 동원되었고, 정부는 병충해에 강한 토종벼를 수확량이 적다는 이유로 심지 못하게 하고, 대신 녹색혁명을 통해서 개발된 다수확품종 종자를 농민들에게 강요했다. 이 시기 한국 정부가 주도한 녹색혁명형 농업과 미국식 농업 발전 모델의 도입으로 인해서 한국 농업은 농약과 비료에 대한 의존도가 높아지게 되었고, 농민들은 농약과 비료를 구매하기 위한 자금 마련을 위해서 고추나 마늘 같은 환금작물 재배를 크게 늘려야 했다. 동시에 정부의 주산단지(主産團地)화 정책도 단일경작을 부추겼고, 이 과정에서 농촌공동체는 파괴되었고, 오랜 전통의 노동력 공동 조직도 붕괴되었다. 이에 따라 농민들은 노동력 부족을 해결하기 위해서 기계 등 외부 자원에 더욱 의존하게 되었고, 그 결과 농가 부채는 더욱 급증하는 악순환에 빠지게 되었다.

3단계. 1970년대 중반 이후 대외적으로는 미국의 농산물 수입자유화 압력과 대내적으로는 해외 부문의 통화팽창으로 인한 인플레이션 압력에 시달리면서, 한국 정부는 농산물 개방정책을 본격화했다. 정부는 국토 면적은 좁고 인구는 많다는 이유로 농업을 경쟁력 없는 산업으로 규정하고, 대신 제조업과 중화학공업 육성에 국가 자원을 집중하는 정책을 펼쳤다. 군사독재 정권이 무너진 1980년대 중반 이후에도 정부의 농산물 개방정책은 지속적으로 추진되었다. 더욱이 최근에는 한-미, 한-EU FTA를 비롯한 양자 간 자유무역협정이 동시다발적으로 체결되면서 한국 농업은 초국적 농식품 복합체가 지배하는 세계 농식품 체계에 더욱 깊숙이 편입되기에 이르렀다. 수치로 살펴보면 농가 소득에서 농업 소득이 차지하는 비중은 30% 이하로 하락했고, 곡물 자급률은 22.6%(2011년), 주요 수입 곡물(소맥, 대두, 옥수수)의 60% 가까이를 4대 곡물 메이저(Cargill, ADM, BUNGE, LDC)로부터 수입하는 참담한 결과로 나타나고 있다.

윤병선 외, 「식량주권운동의 새 지평」, 『녹색평론』 131호(2013. 7)에서 발췌

5. 소농·가족농의 조직화와 복합화

신자유주의 세계화로 먹거리의 생산과 가공, 유통 및 소비 체계가 세계적 규모로 급속하게 통합되면서 농업 생산과 관련한 전 과정이 초국적 농식품 복합체의 직·간접적인 지배하에 놓이게 되었고, 그 폐해는 선진국과 후진국을 막론하고 농업·농촌의 파괴로 나타나고 있다. 농촌이 파괴되고, 건강한 소농 또는 가족농들이 궤멸되고 있는 현실은 한국에서만 나타나고 있는 특수한 현상은 아니지만, 급속한 경제성장 과정에서 한국 농업의 급격한 위축은 세계에 유례가 없는 것이었다. 1980년만 하더라도 국내총생산에서 농업이 차지하는 비중은 13.7%이었지만, 2013년에는 1.9%로 크게 줄어들었다. 전체 경제활동인구 가운데 농림어업 취업자는 1980년에는 34.0%였지만, 2013년에는 5.7%로 크게 줄어들었다. 특히 농가 경영주 가운데 40대 미만의 연령층은 1.2%에 그치고 있는 반면, 60세 이상은 67.3%에 이르고 있다(2013년 기준). 더 우려되는 것은 고령농의 비중이 앞으로 더 증가할 것이라는 사실이다. 또한, 가사 노동의 75% 이상을 담당하고 있는 여성 농민의 비율이 80%를 넘어서고 있는 상황에서, 농사일의 50% 이상을 담당하고 있는 여성이 66.2%를 차지하고 있다(2013년 기준). 한국의 농업이 간신히 연명하고 있는 모습을 보여 주는 지표라고 할 수 있다.

이런 점에서 우리의 농업을 다시 살펴보고, 근원에서부터 대안의 검토가 필요하다. 우리의 농업·농촌을 살리기 위해 무엇을 어떻게 할 것인가의 문제 제기도 필요하다. 이런 점에서 "농업은 자연에서 생존하는 생물과의 직접적인 관계를 통해 생산이 이루어지기 때문에 농업을 하나의 산업이라는 관점에서 바라보기보다는 보다 폭넓게 농사라는 인간 본래의 삶의 방식과 관계를 가진 것으로 생각해야 한다"는 일본의 경제학자 우자와 히로후미(2008)의 말에 귀를 기울일 필요가 있다. 우자와는 지속가능한 농업은 농사의 외연적 확대와 내포적 심화를 통해서 이루어진다고 지적한다. 농사의 외연적 확대는 농사를 단순히 농작물의 생산에 한정시키지 않고, 생산한 농작물의 가공과 판매뿐만 아니라, 심지어 연구 개발까지 포함하는 종합적인 사업 형태가 되는 것을 의미한다. 또한 농사의 내포적 심화는 각종 생산 활동과 생활양식이 주위의 자연적, 사회적 환경에 오염이나 파괴를 초래하지 않게 하면서 생산물도 건강, 문화, 환경의 관점에서 우수한 것이 되게 하는 생산 행태를 추가하는 것을 말한다. 이러한 우자와의 주장에 귀를 기울이면서, 대안 농식품 운동은 다음과 같은 점을 충분히 고민해야 할 것이다.

첫째, 순환의 체계를 만들면서 농사의 외연적 확대를 꾀해야 한다. 지역 순환 농업을 실현하기 위해 고민하면서 유기 경종과 유기 축산이 결합된 지역 순환형 농업 시스템을 확립하는 작업이 필요하다(권영근, 2009; 박진도, 2011). 그리고 1차 농산물의 생산에서 그치는 것이 아니라, 이를 지역에서 가공하고, 나아가 지역에서 판매하는 노력이 필요하다. 또한 이를 3차산업과 연결시켜서 농업의 융·복합화(이른바 농업의 6차 산업화)를 도모해야 한다.[1] 이는 단지 농민들에게 더 많은 부가가치를 생산할 수 있도록 하는 것에서 그치지 않고, 지역의 다양한 주체들이 참여할 수 있는 기회를 제공함으로써 지역 경제의 활성화에도 기여할 수 있다.

둘째, 다품종 소량 생산 체계를 통한 농사의 내포적 심화를 꾀해야 한다. 대안 농식품 체계는 단지 안전한 먹거리의 생산만을 지향하는 것이 아니라, 생산과정에서의 생태성도 중요한 가치로 삼고 있다. 이는 소품종 대량생산 체제로는 달성할 수 없으며, 대규모 전업농이 아닌 건강한 소농들에 의해서 달성될 수

---

1. "농업의 6차 산업화"라는 말은 1990년대 초에 일본의 경제학자 이마무라(今村奈良臣)가 처음으로 제기한 개념으로 알려져 있다. 예를 들면, 메밀을 키워서 메밀 자체를 판매할 경우 3만 엔(1차산업), 메밀분으로 가공하면 6만 엔, 메밀 면은 12만 엔(2차산업), 메밀국수 음식으로 판매할 경우 40만 엔(3차 서비스업)의 소득을 올릴 수 있다고 한다(300평 기준). 농업 생산에 제조와 서비스를 결합함으로써 농민들의 소득을 높이려는 시도라고 할 수 있다. 그러면서 1+2+3이 아닌 1×2×3으로서의 6차 산업화를 강조하고 있다. 부가가치가 2차산업과 3차산업에서 많이 산출된다고 해서 농업을 소홀히 하면 0×2×3=0이 된다는 것이다(田中滿, 2004에서 재인용).

있다. 대안 농업 운동은 농업의 회생을 통해서 농촌의 회생을 꾀하는 운동이기 때문에 새로운 농민들을 이 운동에 참여시키는 노력을 게을리 하지 않아야 한다. 그리고 그 길을 열어 주기 위해서 기존의 생산 공동체의 보다 깊은 배려와 이해가 있어야 한다.

그런데 우자와가 이야기한 농사의 외연적 확대나 내포적 심화는 가족농·소농들의 조직화와 복합화를 기반으로 해야 지속성을 담보할 수 있을 것이다. 프리드먼(1978)은 1800년대 후반 세계적으로 밀 가격이 폭락했을 때 미국의 밀 생산 가족농·소농들이 전 세계의 자본주의적 기업농들과 어떻게 싸워서 이겼는지를 기술하면서, 그 성공과 존속의 원인을 이들의 뛰어난 유연성에서 찾고 있다. 하지만 이는 가족농·소농의 유연성이라기보다는 스스로에 대한 착취, 즉 자기 착취에 기반한 생존 유지일 뿐이다. 즉, 그 유연성이란 것이 실상은 시장가격이 낮은 시기 동안 가족농들이 거의 생존만 가능한 수준으로 소비 규모를 줄이고 자산을 팔아 현금화해서 스스로를 존속시킨 것일 뿐이다. 따라서 개별적이고 분산적인 대안 운동은 일시적으로는 틈새를 공략함으로써 살아남을 수 있을지 모르지만, 종국에는 궤멸의 길을 걸을 수밖에 없다.

사업체와 결사체의 모순적 통일체인 협동조합

1995년 국제협동조합연맹(ICA)이 발표한 「협동조합의 아이

덴티티에 관한 성명」에 나와 있는 것처럼, "협동조합은 공동으로 소유하며 민주적으로 운영하는 사업체(enterprise)를 통하여 공통의 경제적·사회적·문화적 필요와 바람을 충족시키기 위하여 자발적으로 손을 잡은 사람들의 자치적인 결사체(association)이다." 자본주의 아래서 경제적·정치적·사회적으로 열세에 놓일 수밖에 없는 소생산자와 소규모 자본가, 노동자 및 소비자들이 자신들의 필요와 바람을 충족시키기 위해 만든 자주적인 조직이 협동조합인 것이다.

그러나 우리나라의 역사를 보면 모든 협동조합이 사회적 약자들의 필요와 바람을 충족시키기 위한 자주적인 조직이었던 것은 아니었다. 일제강점기의 조선금융조합만 보더라도 많은 농민들은 금융조합의 조합원이 되었지만, 이에 참여한 농민들이 조합을 자신들의 자주적인 조직으로 움직일 수 있는 주체가 될 수 없었고, 대신 일본 금융자본이 실질적인 주체였다(인정식, 1948). 또한 조선금융조합은 농가 필수품과 농업 자재 등의 구입 및 배급 사업에도 그 막대한 조직망을 동원했는데, 이는 사실상 농가를 위해서 농자재를 공동 구매하는 것이 아니라 일본계 비료 회사의 판매 창구에 불과했다.

1961년 농협법에 의해 설립된 농업협동조합만 보더라도 대통령이 농협중앙회장을 임명하는 국가 통제형 협동조합으로 되어 버렸고, 지역 농협 조합장도 농협중앙회장이 임명하는 구조가 30년 가까이 존속되었다. 이에 따라 자발적인 참여를 바탕으로 한 협동조합 운동 역량은 매우 취약한 상황이 되었다.

농민들의 자조적인 조직이면서 민주적으로 운영되어야 하는 기본조차 무시된 농업협동조합이 신용 사업과 경제 사업을 전개하고, 영농자금을 제공하고, 정부를 대신하여 농업정책을 대행하는 역할까지 맡았다. 1989년이 되어서야 조합장 직선제도가 가능해졌고, 농민운동 단체를 중심으로 협동조합의 정체성을 찾기 위한 본격적인 활동도 이루어졌다. 지역 조합장이 누구냐에 따라 민주적 운영과 경제 사업 활성화 등에서 큰 성과를 거두기도 했지만, 농업협동조합이 과연 농민을 위한 조직인가에 대한 의문은 여전히 지속되고 있다.

그런데 우리가 협동조합과 관련해서, 특히 농업·농촌의 문제뿐만 아니라, 현대의 먹거리 문제의 해결이라는 관점에서 관심을 갖고 봐야 할 부분이 있다. 그것은 레이드로가 「서기 2000년의 협동조합」(日本協同組合学会, 1989)이라는 보고서를 통해서 협동조합의 활로로 제안하고 있는 4가지 우선 분야이다. 레이드로가 제시하는 4가지 우선 분야는 농업이라는 경제 활동이 갖는 의미를 우자와 히로후미와 마찬가지로 경제적, 사회적, 지역적 측면에서 파악하고, 이러한 활동의 중심축으로서의 협동조합의 역할을 적시한 것이라고 할 수 있다.

레이드로는 제1의 우선 분야로 '세계의 기아를 해결하는 협동조합'을 제안하고 있다. 협동조합이 가장 성과를 거두고 있는 분야를 농업·먹거리·농촌과 관련된 분야로 보고 있다. 이 분야는 한 나라의 먹거리 확보라는 관점만이 아니라 세계의 기아를 해결한다는 관점에서도 접근해야 할 분야이므로, 거기서

협동조합은 그 경제적-사회적 기능을 충분히 발휘할 수 있다
는 것이다. '생산자와 소비자의 연결,' '먹거리 문제에 대한 농
민과 도시 사람들의 협의,' '협동조합에 의한 종합적인 먹거리
정책의 확립,' '개도국의 소작농이나 소농 조직을 지원하는 개
발계획 — 공정 무역 등 — 의 활동'을 제안하고 있다. 제2의 우
선 분야로 '생산적 노동을 위한 협동조합'을 제안하고 있는데,
이를 통해 고용의 창출, 지역사회의 재생·재활성화, '교육, 보
건/의료, 주택'이라는 안전망의 정비, 전통문화의 계승 등의 기
능이 발휘될 수 있다는 것이다. 제3의 우선 분야로는 '지속가능
한 사회를 위한 협동조합'을 제안하고 있는데, 이는 소비자 생
활협동조합(생협)의 복권을 이야기하고 있는 것이다. 이는 생협
의 사업과 운동을 개인의 '효율적인 소비생활'의 차원으로부
터 '생산과 소비의 상호 의존의 사회적 관계성에 따른 생활'이
라는 차원으로 높여야 한다는 것을 의미한다. 이를 통해 협동
조합 운동에 '돌봄의 윤리'나 '돌봄과 배려'를 자리매김할 것을
제안하고 있다. 제4의 우선 분야로 '협동조합 커뮤니티의 건설'
을 제안하고 있다. 레이드로가 제안하는 협동조합 커뮤니티는
다종다양한 협동조합의 수단을 통해서 건설되는 일종의 '협동
조합 서비스 센터'로, 협동조합의 발전을 위한 계획을 지역 커
뮤니티의 단계에서 작성할 필요성'을 강조하고 있다.

협동조합과 영농조합법인

이런 가운데 2012년 12월 협동조합기본법이 시행되면서 과거 8개의 특별법[2]에 따라 제한적으로 설립할 수 있었던 협동조합이 금융 및 보험업 이외의 모든 업종에서 협동조합을 설립할 수 있게 되었다. 또한, 조합원의 편익보다는 사회적 목적 실현을 우선시하고, 생산자·노동자·소비자·후원자 등 다양한 이해관계자를 조합원으로 하는 사회적 협동조합도 설립할 수 있게 되었다.

물론 그동안 농촌 지역에 협동조합기본법이 없는 상황에서도 영농조합법인이나 지역 농협을 통해서 협동적 지역공동체의 구축은 가능했다. 1990년에 제정된 '농어촌발전특별조치법'에 따라 영농조합의 설립이 가능하게 되었는데, 이 법에서는 "협업적 농업경영을 통하여 생산성을 높이고 농산물의 공동출하 및 가공·수출 등을 하고자 하는 자는 영농조합법인을 설립할 수 있다"고 밝히고 있다. 개별적이고 분산적인 소농 경영의 틀을 벗어나서 소농들이 협업적 농업경영을 가능토록 하는 길이 열렸다고 할 수 있다. 가족 경영의 기초가 되는 소소유(小所有), 즉 '자기 노동에 기초한 개인적·사적 소유'를 전제로 해서 그 '정상적·사회적 이용'(소유단위에 얽매이지 않는 이용 단위의 설정)을 제고할 수 있도록 집단적 토지이용, 혹은 마을 전체의 토지이용

----

2. 농협법, 수협법, 산림조합법, 새마을금고법, 신협법, 소비자생활협동조합법, 엽연초생산협동조합법, 중소기업협동조합법.

이라는 관점에서 마을 단위 영농 체제를 개별 경영과 유기적으로 결합하는 것을 도모하는 것이 영농조합법인이라고 할 수 있다(김병태, 2014). 영농조합법인은 5명 이상의 농민이 모여서 법인을 설립할 수 있을 뿐만 아니라, 1인 1표제로 운영된다는 점에서 사실상의 소규모 협동조합이라고 할 수 있다. 그러나 영농조합법인을 통해 농촌 지역의 생산 공동체를 구축한 사례도 있지만, 한국의 농업·농촌에서 협동조합 운동은 매우 미약했다고 할 수 있다. 이는 한국 농정의 근간이 중소 가족농의 협업화를 통한 생산 주체의 육성보다는 선택과 집중 전략에 따라 전업농 육성 정책에 중점을 두었기 때문이라고 할 수 있다.

이런 상황에서 협동조합기본법이 시행됨에 따라 새로운 협동조합 운동이 농촌 내에서 새로운 변화를 가져올 수도 있을 것으로 판단된다. 우선 최근에 사회적 경제에 대한 관심이 높아지고, 신자유주의 세계화의 폐해에 대한 광범한 인식을 바탕으로 대안의 모색이 활발하게 이루어지면서 협동조합에 대한 인식도 새롭게 확산되고 있다. 따라서 이러한 변화를 바탕으로 답보 상태에 있는 농촌 지역 내 협동조합 운동의 활성화를 기대할 수 있을 것이다. 더욱이 기본법에 의해서 생산자 협동조합뿐만 아니라 교육, 복지, 의료, 문화 등 다양한 분야의 협동조합을 설립할 수 있게 됨으로써 농촌 사회에 새로운 변화를 일으킬 수도 있을 것이다.

실제로 협동조합기본법이 시행된 이후 다양한 형태의 협동조합들이 설립되고 있다. 로컬푸드(꾸러미 사업), 지역 순환형 농

	농업협동조합 (농업협동조합법)	영농조합법인 (농어촌발전특별조치법)	협동조합 (협동조합기본법)
설립 목적	조합원의 농업 생산성을 높이고, 조합원의 농산물 판로 확대 및 유통 원활화를 도모, 기술, 자금 및 정보 등을 제공하여 경제적·사회적·문화적 지위 향상	협업적 농업경영을 통해 생산성을 높이고 농산물의 출하 가공 등을 통해 조합원의 소득 증대 도모	구성원의 복리 증진과 상부상조를 목적으로 하며, 조합원의 경제적·사회적·문화적 수요에 부응
설립 절차	발기인 20인 이상 농업인 1000명 이상 출자금 5억 원(품목조합은 3억) 농식품부장관 인가	농업인 5인 이상 출자금 납입(현물 가능, 농림 사업 지원을 받으려면 1억 원 이상) 설립등기	5인 이상(농업인 규정 없음) 출자금 납입(현물 가능) 관할 시도지사에 설립 신고. 설립등기
의결권	1인 1표	1인 1표	1인 1표
기관	총회, 대의원회, 이사회	총회, 이사회	총회, 대의원총회, 이사회
사업	교육 지원 사업, 경제 사업, 신용 사업, 복지 후생 사업 등	집단 재배 및 공동 작업, 농업에 관련된 공동 이용 시설의 설치 및 운영, 농기계 및 시설의 대여, 농작업의 대행, 농산물의 공동 출하 가공 및 수출 등	설립 목적에 따라 자율적 결정 가능(금융 및 보험업은 불가)

표 2-17. 협동조합, 농업협동조합, 영농조합법인의 주요 내용 비교

업, 유기농업 등을 실천하고 조직화해 내거나, 농촌 지역사회의 활성화를 위한 농촌형 사회적 기업이나 마을 기업 등이 협동조합 조직으로 발전해 가고 있다. 문제는 새롭게 조직된 협동조합이 과거의 많은 영농조합법인이 지나간 부실화의 길을 걷지 않도록 하는 것이고, 이를 위해서는 지속가능한 사업이 가능하

게끔 하는 중간 지원 조직의 육성도 필요하다(표 2-17 참조).

커뮤니티 비즈니스와 사회적 기업

커뮤니티 비즈니스(Community Business)란 "지역을 기점으로 주민이 친근한 유대관계 속에서 주체적으로 운영하는 사업"으로서, 사회적인 문제의 해결과 삶의 질 향상을 목적으로 설립된 사업 조직이다. 즉, 지역민의 이익을 위해서 사업 감각을 가지고 지역에 뿌리를 둔 활동이나 사업을 계속적으로 전개하는 것을 목적으로 하고 있다. 동시에 자발성과 공익성, 계속성, 비영리성 등을 특징으로 하기에 사회적 기업이나 사회적 경제와 유사하다고 할 수 있다(石田正昭, 2008). 일본에서 지역 주민 사업을 담당하는 주체로서 커뮤니티 비즈니스가 활발한 활동을 전개하게 된 배경으로는 지역에서 필요로 하는 여러 사업을 담당해 왔던 지방자치단체들이 재정난으로 인해 한계에 봉착했고, 이익을 우선하는 기업에서는 이런 사업들이 채산이 맞지 않기 때문에 사업화 하지 않는다는 점이다. 이로 인해 지역에 기반을 두고 활동하는 NPO(non-profit organization), 자원봉사 단체 등 시민 속에서 활동해 온 조직·사업체가 자체적으로 공익사업을 담당하기 시작했다.

커뮤니티 비즈니스는 원래 영국의 도심 정책의 하나로 설정되었다. 1970년대 후반부터 영국병으로 불리는 심각한 경제 상황과 이에 수반된 다양한 사회문제가 분출되었고, 이런 상황에서 지역 주민을 회원으로 하여 필요한 서비스를 공급함과 동시에 고용을 창출하는 '커뮤니티 비즈니스'가 활성화되었다. 일본에서는 커뮤니티 비즈니스라는 용어가 1990년대 후반부터 크게 확산되었으며, 이 개념은 지역사회 재건 정책과 연관되어 사용되기 시작했다. 2000년대 초반 이후 사회적 목표와 경제적 목표를 동시에 추구하는 혼합형 조직들이 탄생하면서 커뮤니티 비즈니스라는 용어 대신 사회적 기업이라는 용어가 많이 사용되고 있지만, 일본에서는 여전히 사회적 경제의 틀 속에서 커뮤니티 비즈니스가 매우 중요한 영역에서 활동하고 있다.

우리나라의 경우에도 농촌 지역 경제의 자생력이 훼손된 상황에서 농촌 내부의 조직화를 바탕으로 한 대안적 생존 전략 차원에서 커뮤니티 비즈니스에 대한 관심과 사업이 늘어나고 있다. 특히 지역 자원이나 농촌의 다원적 기능의 재발견, 로컬푸드 운동, 도농 교류의 활성화, 농촌형 일자리 창출 등을 중심으로 다양한 사업이 진행되고 있다. 또한, 농촌 지역의 경제적, 사회적, 문화적, 환경적 문제를 해결하여 농어촌 지역의 활성화와 농촌 주민의 삶의 질 향상에 기여하는 것을 목적으로 기업적 방식에 의해 운영되는 농촌형 사회적 기업도 여러 지역에서 활동을 전개하고 있다.

함께 살리는 희망의 불씨

구성원들의 자발적 의사와 협동에 기초한 결사체로서의 협동조합이나 사회적 경제 조직, 그리고 커뮤니티 비즈니스 등은 위기의 한국 농업·농촌에 희망의 불씨를 살릴 수 있는 마지막 대안이라고 할 수 있다. 특히, 협동조합을 비롯한 자조적 조직들은 지역사회 구성원들이 스스로 함께 발전 전략을 찾고 실천하는 사업체이면서 결사체이기도 하다. 이를 통해 주민의 삶의 질이 향상되고 지역사회 내부의 역량이 증진된다면, 이는 한국 농업·농촌의 지속가능성을 증진시키는 것으로 연결될 것이다. 특히 소농에 기반을 두고 있는 한국의 농촌 사회에서는 더욱 그러하다. 지역사회의 사회적 자본을 증진하고 협동조합 원칙의 마지막 조항인 '지역사회에의 기여'를 충실하게 수행함으로써 지역민들의 경제적·사회적 상태의 개선을 도모할 수 있을 것이다.

따라서 세계 농식품 체계의 지배하에 있는 한국 농업·농촌의 위기, 먹거리의 위기를 극복해 내기 위해서는 다양한 형태의 대안 농식품 운동이 필요하다. 하지만 중요한 것은 이러한 대안 농식품 운동이 개별적 형태로 분산적으로 이루어진다면, 그 대안 농식품 운동도 지속가능하지 않고, 끊임없이 자본의 영역 속에 포함되어질 것이다. 따라서 생산자와 소비자의 단순한 연계에서 벗어나서 '소비자의 생산, 생산자의 소비'를 통해 한 단계 높은 차원의 생산 농민-소비자 연대도 필요하고, 또한 지역사회의 생산자와 소비자가 상호 신뢰를 바탕으로 지역사회 공동체를 구현하기 위해 노력해야 한다. 대안 농식품 체계는 지역별 환경요인에 바탕을 두고 생산 규모를 조정하고, 지속가능한 농법과 저투입 농법을 확산시키면서, 사회경제적·정책적 구성 요소들이 서로 유기적으로 관련을 맺는 시스템으로 농촌 구조의 전환을 모색하는 것일 뿐만 아니라, 이를 통한 지속가능한 지역사회로의 회복과 농촌 지역의 인간 권리의 회복까지 포괄하는 것이어야 한다. 지역 속에서 인간과 자연의 순환을 원활하게 하고, 그 속에서 농민들의 권리를 회복시키고, 소비자의 식탁에 안전한 먹거리를 공급하자는 공생과 생명의 철학이 함께 해야 할 것이다.

대안 농식품 체계를 구축하기 위한 대안 농업 운동은 기존의 거대 농기업과 거대 유통자본의 영향력에서 벗어나 생명 논리에 따라 생산과정을 재구조화하기 위해서 노력해야 한다. 나아가 자본주의의 발전 과정에서 나타난 도시와 농촌의 분리 및 자연과 인간의 이분법을 넘어서려는 노력이 필요하다. 식량 위기가 빈발하고 먹거리의 위험이 지속적으로 증가하는 상황에서 이는 감성의 문제라기보다는 생존의 문제이다. 먹거리와 농업은 사람들이 환경문제와 경제문제를 성찰하게 만드는 중요한 계기가 된다는 점을 잊어서는 안 될 것이다. "농촌은 뿌리"라는 말이 결코 허튼 말은 아니다.

생산 농민의 조직화와 농민적 가공

　지역산 농산물의 농민적인 가공이 이루어지기 위해서는 규모화, 화학화, 단작화를 특징으로 하는 현재의 농업 생산구조의 개편과 생산 농가의 조직화가 필요하다. 일부 품목을 중심으로 지역적 특화가 이루어지는 현재의 상황에서는 다양한 농산물을 원료로 사용할 수밖에 없는 농산물 가공이 온전하게 이루어질 수 없다. 지역의 자연 여건과 부존자원 등을 고려한 다양한 작목을 생산하는 자원 순환형 농업을 구축함으로써 외부자원에 극도로 의존하고 있는 현재의 농업 생산구조를 극복할 수 있을 것이다. 또한 생산 농가의 조직화를 통해서 농산물의 생산 및 가공, 출하를 공동으로 수행함으로써 노동력을 절감하고, 농가 간의 정보 교류 활성화를 꾀할 수 있을 것이다.

　생산 농가의 조직화는 다음과 같은 다양한 과정을 통하여 이루어질 수 있다.

　첫째, 농가들의 자발적인 참여와 수평적 결합을 통한 조직화이다. 경북 예천군 지보면의 '참우작목반'은 한우 사육 농가들이 소를 하나의 우사에 모아서 함께 키우는 공동 우사 협업에서 시작하여 소비자와 한우 쇠고기를 직거래하고 있다. 처음에는 사료를 공동으로 직접 본사로부터 구매하고, 깻묵, 과일즙 찌꺼기, 볏짚, 미강 등 부산물을 이용한 발효 사료나 발효 첨가제 개발로 생산비를 줄인 참우작목반은 부족한 공급을 확대하기 위해 발효 첨가제 공장을 설립하여 예천 '참우생균제 작목반'을 탄생시켰다. 참우작목반은 2007년도에 정육 식당을 개설하여 소비자에게 직접 쇠고기를 공급함으로써 농가 수취 가격 인상과 고용 창출을 통해서 지역 경제의 활성화를 도모하고 있다. 농가의 부산물과 예천 특산물인 참깨, 과일을 가공한 후 나오는 찌꺼기로 만든 첨가제로 배합사료를 대체하고, 지역 자원의 재활용을 통한 경축 순환 및 지역 순환형 농업 생산의 단초도 제공하는 것이라고 할 수 있다.

아산 지역의 유기농업 생산자 500여 명이 참여하는 아산시생산자연합회와 가공·유통을 담당하고 있는 '푸른들영농조합,' 그리고 생산자들이 직접 소비자들을 조직한 '천안·아산한살림'을 통해 지역산 농산물을 생산·가공하고 있다. 특히 1990년대 후반 콩나물 공장을 시작으로, 2000년 농민들 스스로가 주체가 된 푸른들영농조합을 결성하여 두부 공장을 설립하고, 2005년에는 무농약 콩으로 두유를 생산하는 데까지 이르고 있는데, 가공 영역에 연합회 회원들인 농민들 모두가 직접 출자하여 조직 운영의 주체가 됨으로써 생산 기반을 안정시키고 여기에서 나오는 수익을 지역사회에 환원하는 시스템을 구축하고 있다. 이 지역은 여기에서 그치지 않고 벼와 밀, 콩 등을 생산하는 과정에서 나오는 부산물인 볏짚과 콩대, 가공 과정에서 나오는 쌀겨와 밀기울, 비지 등을 활용하여 수입 곡물 사료를 대체하여 경축 순환을 시도하고 있다.

일본의 경우는 소수의 농가들이 결합하여 지역산 농산물을 효과적으로 이용하여 농산 가공품을 생산하는 사례가 많다. 일례로 후쿠시마현(福島縣) 아다치정(安達町)의 경우, '생활개선그룹'이 모체가 되어 1987년에 조합원 9명이 설립하였다. 보조 사업을 활용하여 가공 시설을 만들어 농산물을 가공·판매하고 있다. 절임김치와 된장 등의 가공을 주로 하고 있으며, 원료는 주로 조합원이나 지역의 농가로부터 구매한다. 착색료나 보존료 등의 첨가물은 사용하지 않고 가공하여 휴게소나 JR역에서 판매한다. 점차 원료 농산물의 구입량을 늘려서 2003년도에는 15톤을 구입하였는데, 이는 지역 농가의 중요한 수입원이 되고 있다.

둘째, 농촌 지역의 여성이나 고령자들이 중심이 된 조직화이다. 일본의 히로시마현(廣島縣) 아끼타카다시(安藝高田市)에서는 2004년에 지역 여성들을 중심으로(회원수 24명 중 가공부 9명, 음식부 15명) 법인을 설립하여, 지역에서 생산된 콩을 구입해 두부를 가공·판매하고, 나아가 두부의 부가가치 향상을 목적으로 두부 요리를 제공할 수 있는 농촌 음식점을 개설하여 월 900명의 고객을 확보하고 있다. 또한, 토쿠시마현(德島縣) 미카모정(三加茂町)에서는 농가의 주부 2명과 비농가의 주부 2명이 2003년에 특산품인 딸기의 규격외품을 이용하는 제과점(과자공방)을 설립하였는데, 2003년에 300만 엔이었던 매출액은 2004년에 800만 엔을 달성했다.

셋째, 지자체에 의해서 주도되는 조직화이다. 기후현(岐阜県) 카이츠시(海津市)에서는 지역 내 농산물의 판매를 촉진하기 위해 음식점을 열어 지역 농산물을 활용한 요리를 제공하고 있으며, 시라카와촌(白川村)은 지자체 주도로 쌀 대체 작물로서 메밀을 장려하여, 메밀 가공품의 제조, 메밀꽃 경관과 가공 체험 등으로 관광객을 유치하고 있다.

넷째, 가공 시설의 공동 이용을 중심으로 하는 생산 농민의 조직화이다. 미국 크린치-포웰 커뮤니티 키친이나 아팔래치안 스프링조합처럼, 소량의 가공품을 생산하기 때문에 별도의 가공 설비를 갖추기 어려운 농가들을 위해서 키친인큐베이터 프로그램을 도입하는 것도 필요하다. 이것은 지역에 농산물을 가공할 수 있는 시설을 설치하고, 농민들은 사용료를 내고 자신이 생산하거나 구입한 농산물을 가공함으로써 농가소득을 올리도록 하는 것이다.

윤병선, 「로컬푸드 관점에서 본 농산가공산업의 활성화방안」,
『산업경제연구』 21(2), 2008에서 발췌

6. 대안 농식품 운동: 유기농업 운동

왜 대안 농업인가?

신자유주의 세계화와 경제의 금융화가 지구온난화, 에너지 위기와 결합되면서 농업 생산과 관련된 권력의 집중이 가속화되고 있다. 이러한 상황에서 자본의 지구적 규모의 농업 지배의 강화는 대규모 단작을 중심으로 하는 산업형 영농을 심화시켜, 농약의 남용과 작물 다양성을 감소시키는 등 생태적 문제를 야기하고 있다. 또한 초국적 농업자본은 농민들에 의해 운영되는 협동체를 위협하고 농촌 사회의 불평등을 조장할 뿐만 아니라, 소비자들의 먹거리 불안을 가속화시키고 있다. '산업적 농업(industrial agriculture)'이란 표현은 이러한 현대 농식품 체계의 특징을 집약적으로 보여 주는 것이라고 할 수 있다. '산업적 농업'의 대안으로 농업의 자기 의존(self-reliance) 구조를 복원하고, 인간과 자연, 인간과 인간의 관계, 농(農)과 식(食)의 관계를 복원하고자 하는 운동이 '대안 농업'이라고 할 수 있다 (윤병선·김철규·송원규, 2014). 대안 농업(alternative agriculture) 과 유사한 개념으로 유기농업(organic agriculture), 친환경 농업 (eco-friendly agriculture), 재생 농업(regenerative agriculture), 지 속가능한 농업(sustainable agriculture), 저투입 농업(low-input agriculture), 자연 농법(natural farming), 생태 농업(ecological agriculture), 순환 농업(cycling agriculture), 생명 역동 농업(bio-dynamic agriculture) 등이 사용되고 있다.

'산업적 농업'이란 한마디로 표현하면 농자재에서부터 생산, 유통 과정이 자본의 지배하에 종속된 농업이다. 자본이란 기본 적으로 관계의 분절을 통해서 자신의 시장을 확대함으로써 가 치를 증식하는 운동체라고 할 수 있다. 구체적으로 산업적 농 업은 농사의 시작이면서 끝이었던 종자까지도 자신의 영역으 로 가져갔고, 물적 순환의 과정을 통해서 조달하던 퇴비도 화 학 업체에서 생산한 비료로 대체하였다. 이른바 녹색혁명의 산 물인 다수확품종을 재배하기 위해서 농약 회사가 제공하는 살 충제와 제초제에 의존하지 않으면 안 되는 구조가 되었다. 농 사가 자본의 지배를 받게 되면서 종자뿐만 아니라, 농약, 비료, 기계 등 많은 농자재를 외부 자원에 의존하는 시스템으로 되어 버렸다. 또한 외부 자재를 효율적으로 이용하기 위해서 다품종 소량 생산은 소품종 대량생산으로 바꿔야만 했다. 다품종 소 량 생산은 지역 내 자급을 바탕으로 이루어지지만, 소품종 대량 생산은 지역의 시장을 지향하는 것이 아니기에 유통자본의 개입이 없다면 판로의 확보도 어렵게 된다. 더욱이 과거에 농민적 생산의 연장에서 이루어졌던 농산물 가공도 가공 자본의 손으로 넘어갔다. 이처럼 자본이 '종자에서 식탁까지'의 전 과정을 장악하게 되면서 농민들조차도 먹거리의 구매자가 되어 어디에서 어떻게 먹거리의 원료가 만들어지고 가공되는지 모르는 상황이 되어 버렸다.

이와 같이 '산업적 농업'은 환경적으로 균형 잡힌 영농 체계를 무너뜨리고 유전적 다양성을 훼손하기 때문에 소비자의 자유로운 선택을 어렵게 만들고, 재생 불가능한 자원의 다량 투입을 전제로 하기 때문에 지속가능성을 담보할 수 없고, 이로 인해 농촌 생태 자체가 황폐화되어 농업의 지속가능성을 위협하고, 식탁의 안전도 훼손한다. 이에 따라 오랫동안 인간이 사회를 이루고 자연과 맺어 온 관계는 점차 해체되었으며, 그 자리는 자본제적 상품관계가 대신하게 되었다. 이에 대한 대안으로 자기 의존 구조를 복원하고, 인간과 인간, 인간과 자연의 관계를 회복시키고자 하는 운동이 대안 농업 운동이라고 할 수 있다. '산업적 농업'은 자본 집약적 농업, 대규모성, 고도의 기계화, 단작 영농, 인공적으로 만들어진 화학비료, 농약, 살충제의 광범한 사용, 집약 축산 등을 특징으로 하는 농업인데 반해서, 대안 농업은 지역성과 소규모성, 합성물질 투입재의 사용 회피, 지역 자원의 순환 이용 등을 위주로 하는 농업이라고 할 수 있다(표 2-18 참조).

대안 농업은 물, 흙, 공기 등 무생물의 자연과 동식물, 그리고

'산업적 농업' 패러다임	'대안 농업' 패러다임
집중(concentration) 국가적 · 세계적 생산, 가공, 유통 인구의 집중, 농민의 축소 토지, 자원, 자본에 대한 집중 관리	분산(decentralization) 더 지역적인 생산, 가공, 유통 인구의 분산 토지, 자원, 자본에 대한 분산적 관리
의존(dependence) 대규모 자본 집약적 생산과 기술 에너지, 투입재, 신용에 대한 과도한 외부 의존 시장에 대한 의존 과학, 특화, 전문가에 대한 강조	독립(independence) 규모가 적은 저투입 자본을 통한 생산 에너지, 투입재, 신용 등의 외부 자본 의존 축소 자급적인 지역사회 개인들의 지혜와 숙련에 대한 존중
경쟁(competition) 협동의 결여 농장, 농촌의 전통에 대한 무시 소규모 농촌 사회에 대한 경시 노동 투입의 최소화 영농은 단지 사업 속도, 양, 이윤에 대한 강조	공유(community) 협동의 강화 농장, 농촌의 전통을 보존 소규모 농촌 사회는 농업의 기본적 요소 노동 투입의 가치 인정 영농은 사업이면서 생활양식 영속, 질, 아름다움에 대한 강조
자연에 대한 지배(domination of nature) 자연으로부터 인간의 분리, 인간의 지배 자연은 사용할 자원으로 구성 자원의 순환에 대한 무시 인간이 만든 체계는 자연에 부담 농화학제품에 의한 생산 유지 고도로 가공된 먹거리	자연과의 조화(harmony with nature) 자연의 일부로서의 인간 자연은 그 자체로서 가치를 지님 순환의 완결성을 강조 자연 생태계를 중시 건강한 토양에 의한 생산 유지 가공을 최소화한 먹거리
전문화(specialization) 협소한 유전적 기초 단작 및 연작 중심 경축의 분리 표준화된 생산 체계 고도로 특화된 과학기술	다양성(diversity) 넓은 유전적 기초 다품종 및 혼작 중심 경축 순환 지역에 기반한 생산 체계 융복합적 과학기술
착취(exploitation) 외부 비용의 무시 장기적 결과보다는 단기 이윤 중심 재생 불가능한 자원에 대한 과도한 의존 과학과 기술에 대한 맹신 경제성장을 위한 고도 소비 물질 중심의 바쁜 생활	절제(restraint) 모든 외부 비용의 고려 단기적 · 장기적 결과 모두 중요 재생 불가능한 자원에 대한 탈의존 과학과 기술에 대한 제한적인 신뢰 미래세대를 위해 소비 절제 비물질적인 단순한 생활

표 2-18 '산업적 농업'과 '대안 농업'의 패러다임
자료: Beus and Dunlap(1990).

인간 자신의 건강을 보호하고 보전하는 것을 추구할 뿐만 아
니라, 지속가능성이라고 하는 합리적 관리의 생산방식과 과정
을 통하여 환경과 자연에 대한 영향을 최소화하면서 안전한 농
산물을 공급하고자 한다. 아울러 대안 농업은 인간과 자연, 생
태계가 균형을 이루면서 자원의 순환 고리를 유지하는 것을 지
향하는 농업이므로 대안 농업의 (상대적) 환경친화성은 '산업
적 농업'과 구별되는 가장 기본적인 특성의 하나라고 할 수 있
다. 또한 '산업적 농업'은 대체로 대규모 농지에서 대형 농기계
와 기술 집약적 시설 등 고정자산을 사용하여 대량으로 농산물
을 생산, 가공, 공급하는 포디즘적 시스템에 기반을 두고 "규모
의 경제(economies of scale)"를 중시하는 데 비해서, 대안 농업
은 다품목을 생산, 공급하기 때문에 다각화에 기반을 둔 "범위
의 경제(economies of scope)"를 추구한다. 이에 따라 대안 농업
은 지역의 여건에 따라 경종농업과 원예, 축산이 서로 조사료와
천연 유기질 비료 등과 같은 물질을 매개로 한 연계를 지향하
며, 이를 통해 외부로부터의 물질 공급과 외부로의 부산물 배출
을 최소한도로 억제하는 지역 내 순환을 도모한다는 특징을 가
지고 있다.

대안 농업(유기농업)의 관행화

대안 농업은 단순히 농산물 체계만이 아니라 사회 전체가 새
로운 패러다임을 통해 대안 사회를 추구하는 노력과 함께 진행

되어야 할 부분이기도 하다. 대안 농업은 새로운 농촌 발전 패러다임에 적합하기 때문에, 지역별 환경요인을 고려하여 생산 규모를 조정하고, 자연 순환 농법과 저투입 농법 등을 확산시키는 것을 지향한다. 또한 사회경제적 · 정책적 구성 요소들이 서로 유기적으로 관련을 맺는 시스템을 통해서 농촌 구조의 전환을 모색할 뿐만 아니라, 이를 통해서 지역사회의 지속가능성을 회복하고자 한다. 대안 농업은 이런 점에서 먹거리의 안전이나 환경적인 외부성의 문제를 해결해 줄 수 있는 수단으로 광범하게 인식되면서 소비자로부터 큰 지지를 받았고, 대안 농업은 현대의 농식품 체계에서 중요한 위치를 차지하고 있다.[1]

그러나 녹색혁명에 기반을 둔 관행 농업의 대안으로 모색된 대안 농업이 그 기본 원칙과 가치, 이념을 유지하면서 발전하여 왔는지, 미래 농업으로서의 가능성은 여전히 유효한가에 대한 성찰적 논의 속에서 '관행화'라는 표현이 등장했다. 유기농업의 관행화는 획일적인 유기 농산물 기준이 제정되면서 급격하게 진행되었다고 할 수 있다. 유기 농산물에 대한 획일화된 기준이 만들어지면서 농업 관련 기업은 이 기준에 맞춰 투자를 하면서 높은 가격의 프리미엄을 얻을 수 있게 되었고, 그 결과 유기농업도 '산업적 농업'과 똑같이 "내부의"(농생태적) 조절을 외

---

[1] Codex에서는 유기농업을 "농장의 모든 구성요소를 하나의 유기체로 보고, 농업생태계 보호, 종의 다양성, 생물순환과 토양생물활동 증진과 같은 각 요소 간의 상호작용에 의해 지역 내에서의 총체적 생산관리 체계"로 정의하고 있으며, IFOAM에서는 생태 · 건강 · 배려 · 공정의 원칙을 제시하고 있다.

부 투입재에 의존하는 시스템으로 되었다. 버크(Buck, 1997) 등
은 미국의 북부 캘리포니아 지역의 유기 채소 산업에 자본이 침
투하는 것을 묘사하면서 관행화라는 표현을 처음 사용했는데,
농업 관련 자본이 "자신에게 유리하도록 유기농업의 특성을 다
시 만들어 내는 방법"에 성공하면서 유기농업의 본래 정신이나
가치가 소홀하게 되었다는 것이다.

　대안 농업의 관행화란 관행 농업의 특징이 대안(유기) 농업의
각 부문에서 나타나는 것을 의미하는데, 예를 들면 대규모 기
업농이 유기농업에 진출하여 이 부분에 생산을 집중시키고, 외
부에서 생산된 공장식·에너지 집약적 투입재를 대량으로 투입
하고, 직거래와 같은 비시장적 방식에 의한 마케팅(non-market
marketing)보다는 대중 지향형 마케팅에 의존하는 등 유기농업
의 전통적 가치나 이념보다는 자본주의적 이윤 지향형 가치를
추구하는 경향 등을 말한다(마이클 캐롤란, 2013). 또한, 소규모
유기농 농민이 규모화된 농가로 대체(퇴출)되거나 유기농업의
주체가 가족농으로부터 기업농으로 대체되고, 생산자-소비자
간의 직접적 관계가 시장을 통한 단절된 관계로 대체되고, 다
품목 생산이 단작으로 대체되는 것도 관행화의 징표라고 할 수
있다. 또한 최근에는 거대 유기농 생산자 및 유통업자로 집중
이 일어나고, 유기농에 관한 정의 및 생산기준에 국가가 개입함
으로써 농민들의 자율성이 침해되는 문제도 발생하고 있다. 전
통적인 유기농업의 가치보다는 시장 접근에 관심을 갖고 있는
기업농이나 가공업체에게 적합한 기준이 만들어져서 유기농업

도 농업 관련 기업의 지배를 받게 된 것이다. 이에 따라 유기농
업은 '산업적 농업'에 사용되는 투입재와 종류만 다른 시스템
에 불과하게 되었고, '유기농'이라는 라벨도 에너지 집약적이고
대규모 단작에 기반을 두고 있다는 특징을 가지게 되었다. 여기
에 더해서 농기업들이 전혀 유기적이지 않으면서도 이를 기업
의 이윤 추구 수단으로 활용하는 "기업의 기회주의적 녹색화"
가 진행되기에 이르렀다. 이에 따라 자본 집약적이고 수직적으
로 통합된 수출 중심의 생산자에 의해서 주도되는 '관행적' 유
기농 부문과 로컬푸드와 같은 다양한 형태로 사업을 전개하는
전형적인 소규모 유기농으로 이분화(bifurcation)되는 현상도 나
타나게 되었다. '산업화된 유기농업'은 순환의 체계를 만들어
가는 '살림의 농업'이 아니라 '죽임의 농업'이고, 더욱이 '산업
화된 유기농업'은 여기에서 그치지 않고 '세계화된 유기농업'
으로 나아가고 있다.

한국의 대안 농업 운동의 성장

한국의 대안 농업 운동은 정농회와 가톨릭농민회 등이 중심
이 되어 시작되었다. 최초의 대안 농업(유기농업) 생산자 단체라
고 할 수 있는 정농회가 1976년에 설립된 데 이어서 1978년에
한국유기농업협회가 설립되었다. 1980년대 초반 가톨릭농민회
를 중심으로 '농'에 대한 새로운 가치 인식과 공동체 회복을 통
해서 농업과 농촌이 처한 어려움을 해결해 보려는 새로운 움직

임이 태동했다. 우리나라의 유기농업은 소비자의 요구나 특화
된 생산물을 생산하여 판매하기 위한 농민들의 시도에서 시작
된 것이 아니라, 농업의 의미를 새롭게 보고, 농업을 본래의 자
리로 되돌려놓으려는 농민들의 모임에서 시작되었다고 할 수
있다(윤병선, 2010).

  1980년대 후반부터 한살림과 가톨릭농민회의 생명 공동체
운동 등을 시발점으로 한 소비자 생활협동조합 운동은 유기농
업의 확산에 큰 힘이 되었다. 녹색혁명의 폐해를 몸소 체험한
생산자들은 유기농업의 가치를 소비자에게 직접 알리는 일을
유기 농산물의 직거래 사업을 통해서 실천해 갔다. 특히 생협을
통한 직거래 사업은 정농회, 한국유기농업협회, 한국자연농업
협회 등 유기농업 생산자 단체의 회원을 비롯하여 농민운동에
서 시작된 한살림, 여성운동단체인 한국여성민우회생협, 노동
운동에서 지역 운동으로 전환한 활동가들이 주도한 지역 생협
등 다양한 운동 주체들에 의해 추진되었다. 농산물은 생산과정
에 관한 정보를 소비자가 육안으로 확인하기 어렵기 때문에 생
산자와 소비자 사이에 정보의 비대칭성이 매우 높다는 특징을
가지고 있다. 일반 관행 농산물을 재배하는 경우보다 훨씬 더
많은 노력이 들어가는 친환경 농산물을 생산하는 농민의 입장
에서도 자신이 생산한 농산물에 대하여 소비자가 신뢰하는 유
통 방식을 선호하게 된다. 이런 점에서 생협은 소비자와 생산자
의 조직화를 통해서 신뢰에 기반한 거래 관계를 구축하고 정보
의 비대칭성 문제를 해결함으로써 한국의 유기농업의 발전에도

크게 기여했다고 할 수 있다.

한편, 한국의 친환경 농업은 농산물 수입 개방에 따른 국내 농업의 대응 방식의 하나로 정책적으로 육성되었다. 1994년 농림식품부에 친환경농업과가 신설되었고, 1998년에는 "농업의 환경보전기능을 증대시키고 농업으로 인한 환경오염을 줄이며, 친환경농업을 실천하는 농업인을 육성하여 지속가능한 친환경 농업을 추구하고 이와 관련된 친환경농산물과 유기식품 등을 관리하여 생산자와 소비자를 함께 보호하는 것을 목적"으로 하는 〈친환경농업육성법〉이 공포되었다. 그리고 1999년에 친환경 농업 직접 지불제가 도입되면서, 지방자치단체들도 2002년 지방선거를 기점으로 친환경 농업을 육성하는 정책을 적극적으로 도입하였다.

이렇듯 한국의 유기농업을 포함한 친환경 농업은 1990년대 초반까지는 민간 주도의 운동으로 확산되었고, 1990년대 중반 이후는 민간 주도의 친환경 농업에 정부가 적극적으로 개입하는 형태로 이루어졌다. 정부의 개입은 주로 인증 제도의 마련과 친환경 농자재의 지원을 중심으로 이루어졌고, 그 성과는 친환경 농업의 확산으로 나타났다. 외형적으로 보더라도 그동안 친환경 농업은 크게 성장했다. 2001년부터 2013년까지 친환경 농업은 연평균 39%의 성장(면적 기준)을 기록했다(국립농산물 질관리원, 2014). 이를 인증 수준별로 보면 유기농은 39%, 무농약은 44%, 저농약은 33%의 연평균 증가율을 보였다. 그러나 친환경 농산물 재배 면적은 2009년을 정점으로 감소하고 있으며, 2013년에는 전년 대비 14%나 감소했다. 특히 저농약 재배 면적은 2008년에 정점을 기록한 이후 최근 3년간 연평균 36% 씩 감소했으며, 특히 2013년에는 전년 대비 40%나 감소했다. 무농약 재배 면적도 2012년을 정점으로 2013년에는 3% 감소 했으며, 유기 재배 면적의 경우도 2013년에는 전년 대비 17% 감소했다.

최근 들어서 친환경 재배 면적이 전반적으로 감소하고 있 는 가장 큰 이유는 저농약 인증 폐지에 따른 농가의 대응이 무 농약이나 유기 재배로 전환하기보다는 GAP(Good Agricultural Practices, 농산물우수관리인증)나 관행 재배로 전환하는 형태로 진행되고 있기 때문이다. 특히 일본에선 '적정 농업 규범'으로 번역되고 있는 GAP는 유전자조작 농산물도, 제초제를 사용하 는 것도 허용된다. 정부는 2025년까지 GAP 인증 면적을 전체 경지면적의 50%까지 확대할 계획이어서 친환경 농업은 새로운 위기에 직면하고 있다(표 2-19 참조).

한국 대안 농업 운동의 위기

대안적 농식품 체계는 단순히 농산물 체계만이 아니라 사회 전체가 새로운 패러다임을 통해 대안 사회를 추구하는 노력이 수반되어야 한다고 전제한다. 유기농업이 대안 농업으로 주목 받는 이유는 환경친화적인 농업기술과 자연과 인간, 도시와 농 촌, 생산과 소비의 유기적 결합을 매개로 하는 사회 체계의 변

연 도	유기		무농약		저농약		합계	
	농가수	면적 (ha)	농가수	면적 (ha)	농가수	면적 (ha)	농가수	면적 (ha)
2000	353	296	1,060	876	1,035	867	2,448	2,039
2003	2,748	3,326	7,426	6,756	13,127	12,155	23,301	22,237
2005	5,403	6,095	15,278	13,803	32,797	29,909	53,478	49,807
2006	7167	8,559	21,656	18,066	50,812	48,371	79,635	74,995
2007	7,507	9,729	31,540	27,288	92,413	85,865	131,460	122,882
2008	8,460	12,033	45,089	42,938	119,004	119,136	172,533	174,107
2009	9,403	13,343	63,653	71,039	125,835	117,306	198,891	201,688
2010	10,790	15,517	83,136	94,533	89,992	83,956	183,918	194,006
2011	13,376	19,311	89,765	95,253	57,487	58,108	160,628	172,672
2012	16,733	25,467	90,325	101,657	36,025	37,165	143,083	164,289
2013	13,957	21,206	89,992	98,237	22,797	22,208	126,746	141,651
연평균 증가율 (2000~13, %)	33	39	41	44	27	28	35	39
연평균 증가율 (2010-13, %)	9	11	3	1	-37	-36	-12	-10

표 2-19. 친환경 농업의 추이
자료: 국립농산물품질관리원

화에 대한 가치를 지향하고 있기 때문이다. 대안 농업 운동은 지역별 환경요인에 바탕을 두고 생산 규모를 조정하고, 자연 순환 농법과 저투입 농법을 확산시키며, 사회경제적·정책적 구성 요소들이 서로 유기적으로 관련을 맺는 시스템으로 농촌 구조의 전환을 모색하는 것일 뿐만 아니라, 이를 통한 지속가 능한 지역사회로의 회복과 농촌 지역의 인간 권리의 회복까지 포괄하는 것이어야 한다.

그러나 최근에는 초창기와는 달리 유기농업이 농민들의 자각과 각성보다는 정부의 지원에 의존하는 새로운 소득 모형으로 자리 잡으면서 본래의 운동성도 희박해지고 있는 측면이 있다. 망가진 땅과 사람의 관계를 되살리는 '과정을 조직하는' 운동의 부재는 필연적으로 수익만을 좇는 생산자와 먹거리의 안전만을 찾는 소비자들을 양산하고 있다. 생산자들은 수익을 좇아서 유기농업을 선택하고 소비자는 웰빙이나 로하스의 열풍을 따라 유기 농산물을 찾는 경향이 심화되면서, 유기농업이 본래 갖고 있는 생태적 의미나 사회운동으로서의 의미가 퇴색하고 있다(윤형근, 2006). 현재 유기 농산물의 유통 구조도 생산자와 소비자의 직거래 형태는 점차 줄어들고 백화점이나 전문 유기농 매장이 급격하게 늘어나고 있으며, 상품화의 논리가 깊숙이 침투해 있다. 그리고 '유기농업의 세계화' 경향과 맞물려서 유기 농산물의 수입 물량도 급증하고 있다.

또한, 정부의 친환경 육성 정책은 대안적 의미나 가치에 대한 고민보다는 친환경 농업의 지향성을 훼손하는 부정적인 결과를 낳기도 했다. 정부의 친환경 농업 육성 정책은 토양 개량제와 작물 보호제 등 외부의 유기농 자재에 의존하는 시스템을 고착시켰다. 인증 자체에 치중하다 보니 정부의 〈목록공시〉에 등록된 고가의 자재를 구입하여 사용하는 것이 일반화되었다. 더욱이 정부가 친환경 농업 육성 정책을 추진하면서 '산업적 농업'에 적용되는 생산력주의와 경쟁력주의에 입각하여 양적 지표의 성장에만 몰두했고, 정부의 친환경 농업 관련 예산도 친환경 농자재 지원에 집중되었다. 농업 생산의 물적 순환을 원활하게 하는 '유기적 시스템'의 구축이라는 과정에 대한 고민보다는 '안전한 농산물'이라는 결과만이 중시되는 전혀 유기적이지 못한 구조가 만들어진 것이다. 정부의 정책이 인증에 중심을 두고, 농자재 지원에 예산이 집중되다 보니, 유기농업이 '유기적인 농업'이 아닌 '유기질을 활용하는 농업'으로 정착되어 버린 것이다.

따라서 유기농업이 기존의 관행 농법을 대체한다는 좁은 개념을 넘어서 지속가능한 사회발전을 위해서 환경과 농업의 다원적 기능을 살리는 농업 구조로의 전환을 모색하는 새로운 접근이라는 면이 보다 깊이 있게 고려되어야 할 시점이다. 과거 유기 농산물을 비롯한 친환경 농산물의 상당 부분은 생협이나 직거래 등을 통해서 유통되었지만, 최근 들어서 대형 유통업체나 일반 소매점 등을 통한 유통 비중이 이를 능가하고 있다. 농식품신유통연구원의 조사 결과(2012년 기준)에 따르면, 생협과 직거래 비중은 34.5%인데 반해서, 대형 유통업체 27.7%, 친환경 전문점 6.9%, 일반 소매점 5.9%에 달하고 있다. 일반 관행 유통도 친환경 농산물의 유통에 개입함으로써 친환경 농산물의 판로를 확대하고 있다는 긍정적인 측면도 있지만, 이는 대안 농업으로서의 유기농업이 관행화의 길로 접어들고 있다는 점에서 유기농업의 정체성 문제와 관련해서 우려스러운 부분이기도 하다.

인증 중심의 친환경 유기농업의 문제를 개선하기 위해서 인
증 제도에 있어서도 국가 인증을 대체할 수 있는 참여자 인증
시스템(PGS)이나 자주 인증 시스템의 도입이 필요하다(조완형,
2014). 생산자는 스스로 생산을 자주적으로 점검하고, 소비자
는 생산자의 자주적인 점검을 생산 현장에서 직접 확인하는 참
여자 인증 시스템은 저농약 인증제의 신규 중단 및 전면 폐지의
문제를 해결할 수 있는 방안이기도 하다. 지역 속에서 인간과
자연의 순환을 원활하게 하고, 그 속에서 농업 종사자들의 권
리를 회복시키고 소비자의 식탁에 안전한 먹거리를 공급하자
는 공생과 생명의 유기농업 운동이 그 본래의 자리를 찾아가기
위해서는 생산 농민들만의 노력으로는 불가능하다. 따라서 이
러한 참여자 인증 시스템이나 자주 인증 시스템의 도입은 소비
자를 단순하게 소비자에 머무르게 하지 않고, 공동 생산자로서
의 역할을 수행할 수 있도록 만드는 계기가 될 수 있다.

유기농업은 기본적으로 과정에 있어서의 순환을 고민하는 영
농이다. 이는 산업적 농업에 의해서 망가진 지속가능성을 확보
하고자 하는 고민과 연결되어 있다. 환경적, 경제적, 사회적 측
면에서의 순환이 지역 단위에서 이루어짐으로써 지역의 지속
가능성이 달성될 수 있다. 소비자들이 유기농이라는 인증 라벨
보다는 농민의 '얼굴'을 더욱 신뢰하는 경향이 늘고 있다는 사
실이 무엇을 의미하는지 성찰할 필요가 있다(Adams and Salois,
2010). 지속가능한 지역을 만드는 데 있어 중요한 요소는 지역
에 있는 자원을 찾아내고, 이를 지역에서 활용하는 것이다. 이

것이 지역 순환형 경제의 창출이고, 이러한 것들을 달성 가능하도록 만들기 위한 고민이 대안 농업에 포함되어야 한다. 그리고 지역의 자원으로는 물, 공기, 생태계 등의 자연 자원뿐만 아니라, 한 사람 한 사람의 지혜, 인간이 갖고 있는 자체의 기술, 그리고 지역 사람들을 결합시키고 협동하게 하는 신뢰 관계와 같은 그 지역의 문화도 포함된다.

또한 대안(유기) 농업이 진정한 의미에서 '유기적'인 농업이 되기 위해서는 지역에 바탕을 둔 유기농업이어야 하고, 지역공동체 내의 관계성을 극대화함으로써 유기적인 관계의 복원을 이루어 낼 수 있어야 한다. 지역 순환형 사회는 지역을 만들어 온 자연 시스템이나 '지역공동체'에 있어서의 생활의 지혜나 인간적인 유대를 유지 · 활용하면서 지역의 자원을 순환 가능하게 하는 사회이고, 이는 대안 농업의 기본적인 지향점이라고 할 수 있다. 생산-가공-유통-소비라는 순환 체계가 지역 단위에서 확보될 수 있도록 하는 것은 유기농업의 정체성을 회복하는 데 있어서 매우 중요한 요소라고 할 수 있다. 따라서 현재의 농자재 중심의 지원 정책에서 지역공동체를 바탕으로 하는 순환적인 관계를 복원하는 정책으로 전환되어야 한다. 이른바 지역 단위의 가족농들이 결합한 협동조합을 통해서 경축 순환을 촉진하는 지원 정책, 가족농들의 공동 작업을 촉진하고 더 많은 농민이 여기에 결합토록 촉진하는 지원 정책, 생산된 친환경 농산물의 직거래를 매개로 소비자와의 직 · 간접적인 교류와 접촉을 촉진하는 지원 정책 등이 함께 이루어져야 한다.

친환경 농업이 소중한 또 하나의 이유

때가 때이다 보니 수확이 한창인 누런 들녘의 모습이 뉴스에 자주 등장한다. 그러나 불행히도 황금물결 속에 행복해하는 농민들의 모습을 보는 것이 쉽지 않다. 대책 없이 이어지는 FTA와 쌀시장 개방은 가뜩이나 어려운 농촌을 더 힘들게 하고 있다. 상황이 이러하다 보니 우리의 농업, 농촌의 미래를 희망적으로 전망하는 농민은 그다지 많지 않다. 2013년 한국농촌경제연구원(이하 농경연)에서 현재 농사를 짓고 있는 농민들을 대상으로 조사한 결과에 따르면 54.3%가 향후 한국 농업의 미래를 비관적으로 보고 있고, 자녀 또는 가까운 친척에게 영농을 승계할 계획이 있는 농민은 14.3%에 불과했다. 그야말로 한국 농업의 미래를 보여 주는 암담한 수치라고 할 수 있다.

친환경 농업에서 찾는 희망

지난여름 동안 한국연구재단의 먹거리지속가능성연구단은 전국친환경생산자연합회(이하 친농연)의 도움을 받아 회원 600여 명을 대상으로 설문 조사를 진행했다. 설문 조사 결과에는 바늘구멍만큼이지만, 우리에게 위안을 주는 대목이 있다. 농경연의 조사 결과와 마찬가지로 친환경 농업을 실천하고 있는 농민들도 향후 한국 농업의 미래에 대해 대체적으로 비관적 전망을 하는 사람이 많지만, 그 수치는 44.6%로 농경연의 조사 결과치보다 10%p 정도 낮았다. 희망적이라고 보는 비율에서 두 조사 사이에 큰 차이는 없었지만, 그래도 친환경 농업에 종사하고 있는 농민들이 나름 한국 농업을 덜 비관적으로 보고 있다. 후계 문제와 관련해서도 친환경 농민들의 경우에는 농사를 넘겨줄 가족이나 친지가 있다는 비율이 25.2%로 농경연의 14.3%보다 훨씬 높았다. 이 땅에서 농사를 계속 한다는 것이 쉬운 일이 아닌 상황에서 후속 세대를 확보하고 있는지의 여부는 한국 농업의 지속가능성을 판단하는 중요한 지표가 된다는 사실에서 의미 있는 지점이라고 할 수 있다.

또한 친농연 설문 조사 결과에 따르면, 친환경 농업을 확대할 의향이 있다고 답한 비중이 64%에 달해서 현재의 친환경 농민들은 친환경 농업에 대해서 많은 애정을 가지고 있는 것으로 나타났다. 농업의 미래를 비관적으로 보면서도 친환경 농업을 확대하겠다는 응답을 어떻게 해석할 것인가와 관련해서는 다양한 해석이 가능하다. 퇴로가 없기 때문에 어쩔 수 없이 내린 결정일 수도 있지만, 나름 친환경 농업에 대해 애정을 갖고 희망의 싹을 틔우고 있는 농민들이 많다는 이야기다. 소득 증대 등 경제적 이유 때문에 친환경 농업을 시작했다는 응답이 1순위에서 가장 높게 나타났지만, 환경 보전의 필요성이나 건강한 먹거리를 소비사에게 제공하기 위해 친환경 농업을 시작했다는 응답도 많았다. 관행 농업에 의해서 훼손된 농(農)과 식(食)의 관계를 회복하고자 하는 농민들의 의지를 확인할 수 있는 부분이다.

정부의 친환경 농업정책에 대한 불만 팽배

친환경 농민들은 대체로 정부의 친환경 인증 제도가 소비자의 신뢰를 확보해 내는 데 기여했고, 농가들이 친환경 농업으로 전환하는 데 기여했다는 점에서 인증 제도를 긍정적으로 평가하고 있지만, 정부의 친환경 인증 제도로 인해서 외부 투입 농자재의 양과 비용이 늘어났다는 응답이 절반을 넘었다. 또한, 인증 제도로 농가의 주체적인 영농 활동이 위축되었다고 보는 응답도 많았다. 정부의 획일화된 인증을 중심으로 하는 친환경 농업정책이 재고되어야 한다는 주장에 힘을 실어 주는 응답이라고 할 수 있다.

또한, 정부의 친환경 농업정책을 긍정적으로 평가한 의견은 23.6%로 부정적으로 평가한 67%의 3분의 1 수준이었다. 그리고 가장 큰 불만은 판로 부문과 가격 부분이었다. 판로나 가격 확보를 위한 정부의 노력이 부족하다고 인식하고 있는 상황이다 보니 농민들은 친환경 농업을 지속하는 데 가장 필요한 협력자로 소비자와 생협 등의 시민 단체를 최우선으로 꼽았는데, 그 비율이 45.7%에 달했다. 반면 정부로 응답한 비율은 18.2%에 불과했다. 실제로 농민들이 친환경 농업을 실천하는 데 직접적인 영향을 준 계기는 정부 및 지자체의 정책적 지원보다는 농업·농민 단체의 친환경 농업 교육이나 홍보인 것으로 조사되었다.

무엇을 할 것인가?

친환경 농민의 수와 생산면적도 줄어들고 있는 상황에서 저농약 인증 농가에 대한 적극적인 관심이 필요하다. 저농약 인증 농민들을 대상으로 한 설문에서 무농약 등 상위 인증으로 전환할 계획을 갖고 있는 농민은 35%에 불과했다. 낮은 인증 단계인 GAP이나 관행 농업으로 전환할 계획이라는 농민이 55%에 이르는 상황을 이대로 방치한다면 그동안 친환경 농업을 육성하기 위해 힘써 온 정부의 노력도 수포로 돌아가게 된다.

이제는 인증에서부터 관리를 획일화된 체계 속에 묶어 둘 것이 아니라, 설문 조사에서 나타난 바와 같이 농업·농민 단체를 포함하여 친환경 농산물의 생산, 유통, 가공, 소비에 이르는 과정에 관계하고 있는 친환경 농업 관련 단체들이 현장에서 다양한 역할을 수행할 수 있도록 길을 열어야 한다. 때를 놓치면 친환경 농업을 하향 평준화시키는 되돌릴 수 없는 잘못

을 저지를 수 있고, 이는 친환경 농업 생산 농민들의 불신을 더욱 심화시
킬 것이다.

윤병선, 『한국농어민신문』, 2014. 10. 14.

7. 대안 농식품 운동: 로컬푸드 운동

로컬푸드 운동의 의의

초국적 농식품 복합체의 주도하에 전개되고 있는 세계 농식품 체계(global agri-food system)는 사회적, 경제적, 환경적 측면에서 다양한 위기를 불러왔다. '농장에서 입까지(from land to mouth)'또는 '종자에서 식탁까지(from seed to table)'이르는 과정에 개재하는 자본들의 영역 확대로 먹거리의 안전성과 농업의 지속가능성, 농촌공동체의 유지 등이 동시에 위협받고 있다(윤병선, 2008a). 먹거리는 공업 제품과는 달리, "생산과 소비의 괴리," "시간과 공간"이 확대되면 필연적으로 상품의 질이 떨어지는 특성을 가지고 있다. 무기물의 공업 제품과는 달리, 농림수산물과 식품은 생명체이고 유기물이기 때문에 시간과 함께 변색·변질·부패하여 상품 가치를 상실할 뿐만 아니라, 인간의 생명과 건강을 위협하는 흉기도 될 수 있다. 과학은 이 품질 악화를 방지하기 위해 화학물질의 첨가와 같은 여러 가지 작업을 통해 그 방지책을 발전시켜 왔다고 할 수 있다. 그러나 수입 농산물은 품질 저하를 방지할 목적으로 수확 후에 살포하는 농약이나 방사능 조사 등에 의해, 또 가공식품은 식품첨가물에 의해 다양한 형태의 식품 안전사고가 급증하고 있다.

태생적으로 불안한 구조라고 할 수 있는 세계 농식품 체계 하에서 이루어지는 생산은 지역 경제의 확대나 지역의 식품 필요성과는 점점 괴리되게 되었다. 더욱이 세계 농식품 체계는 에너지와 자원을 과소비하는 녹색혁명형 농업에 기반을 두고 있다. 지역적 특화에 기반을 두고 있는 환경 훼손형 농업일 뿐만 아니라, 거대 자본이 지배하는 외부 자원에 의존하여 이루어지는 자기 수탈형 농업이기도 하다. 녹색혁명형 농업의 연장선상에서 이루어진 국내 농산물의 대규모 유통 체계 속에서 농업 관련 자본들은 생산과 가공, 유통, 소비를 포함하는 전 과정을 지배하고 있다. 농산물의 유통이 광역 대량 유통 체계 중심으로 재편되면서, 적절한 이윤만 주어진다면 지역에서 생산할 수 있는 먹거리도 먼 거리에 있는 국내 산지나 수입에 의존하는 체계로 되었다. 이런 상황에서 농민적 대응이 규모화, 효율화만을 염두에 둔 직접적인 유통 조직이나 제도의 변화에만 머문다면 근본적인 해결을 기대할 수 없다. 농민으로부터 자본에게로 넘어간 가공, 유통 부문에서 농민적 대응력, 대항력을 확보할 수 있는 대안이 필요하다. 그리고 그동안 관심 밖에 있었던 지역 시장의 가치를 올바르게 인식하고, 주생산물 이외의 다수의 혼합 작물을 생산하여 지역에 존재하는 수요에 대응함으로써, 농(農)이라는 생산 현장과 식(食)이라는 소비 현장 사이에 존재하는 왜곡된 관계를 회복해야 할 것이다. 이러한 고민 속에서 우리가 대안으로서 거론할 수 있는 것이 로컬푸드 운동이라고 할 수 있다.

로컬푸드 운동은 생산 농민과 소비자 사이에 '얼굴을 볼 수 있는 관계'를 만들어 내자는 운동이다. 그간 거대 자본에 의해서 인위적으로 늘어난 '농'과 '식' 사이의 물리적 거리뿐만 아니라 사회적·심리적 거리도 줄이자는 운동이다. 로컬푸드 운동은 농과 식 사이의 왜곡된 관계를 회복시키는 것에서 더 나아가 녹색혁명형 농업에 의해서 파괴된 '농'의 순환 체계도 복원하고자 하는 운동이다. 로컬푸드 운동은 거대 농기업들에게 철저하게 종속되어 있는 세계 농식품 체계와 소수의 대자본의 이윤 확보를 위한 수단으로 전락해 있는 먹거리의 상황을 극복하기 위한 운동이고, 지속가능한 순환형 농식품 체계를 회복시키려는 운동이다. 또한, 농민과 소비자 사이에 이익을 공유함으로써 신뢰를 확산하고, 녹색혁명형 농업이 초래한 생태적 균열을 회복시킴으로써 농촌 사회의 지속가능성을 확보하고자 하는 운동이다.

로컬푸드 운동의 전략

가. '로컬'에 대한 공유

로컬푸드는 '유기농'과 같이 일정한 기준에 의해 획일적으로 결정할 사항은 아니다. '로컬'의 물리적 범위에 있어서도 그렇고, 로컬푸드의 대상이 되는 농산물의 품질, 참여 농가의 범위와 관련해서도 그렇다. 운동의 주체가 누구냐에 따라서 지역의 범위가 달라질 수 있고, 로컬푸드의 대상을 유기 농산물로 한정하는 경우도 있고, 일반 관행 농산물도 로컬푸드의 대상에 포함시키기도 한다. 따라서 중요한 것은 운동의 가치를 담아낼 수 있는 서로의 합의점과 이를 담아내기 위한 가치의 공유이다. '로컬'의 범위는 생산자들이 직접 자신의 생산물을 소비자에게 가지고 가서 기꺼이 판매하려는 거리에 의해서 정의되기도 하고, 관계를 유지하는 것이 가능한 위치에 의해서 규정되기도 한다(Sonntag, 2008).

로컬은 상대적이고 정치적인 개념이다. 이는 글로벌푸드가 그러한 것과 동일하다. 우리의 먹거리는 이미 글로벌푸드에 의해 점령되었다고 할 수 있다. 중요한 것은 글로벌푸드의 본질이다. 글로벌푸드는 단순하게 국경을 넘어선 먹거리를 의미하는 것은 아니다. 국내에서 생산된 먹거리라 하더라도 그 운동 양식이 글로벌푸드의 그것과 동일하다면 그것은 로컬푸드가 될 수 없다. 그렇기 때문에 로컬푸드 운동에서의 '로컬'은 중층적인 의미를 가질 수밖에 없는 것이고, 그래서 '로컬'에 대한 이해의 공유가 필요한 것이다.

로컬푸드에서 로컬의 범위는 추진 주체에 따라 달라질 수밖에 없다(윤병선, 2013). 그러나 완주군이라는 지자체가 중심이 되어 로컬푸드 운동을 추진하였다고 해서 로컬의 경계가 완주군이 되는 것은 아니다. 그 주체는 지역의 농민이고, 거기에 많은 지역의 소비자가 관계를 맺는 것이고, 이에 대한 촉매 역할을 완주군이 수행할 뿐이다. 또한, 완주군의 꾸러미가 전주 혹은 수도권의 소비자의 밥상에 올라가면 안 된다고 로컬푸드가 주장하는 것도 아니다. 완주군의의 로컬푸드 직판장에서 외지의 소비자가 구매한다고 로컬푸드가 아닌 것은 아니기 때문이다. 중요한 것은 그간의 관행화된 유통체계에서 허물어져 버린 '농'과 '식'의 관계의 복원에 로컬푸드가 어떻게 기여하는가에 있고, 또한 이를 매개로 무엇을 성취해 내려고 하는가의 문제이고, 또한 무엇을 성취했느냐의 문제이다.

나. 로컬푸드의 생산방식과 참여 농가

먹거리의 안전성과 관련해서 로컬푸드는 단순한 식탁의 안전에 그치는 것이 아니라, 생태성의 회복에 기여하고, 나아가 지역사회에 활기를 불어넣는 발전의 가능성을 담아내는 것을 고민해야 한다. 이는 로컬푸드 운동이 현재의 세계 농식품 체계를 주도하고 있는 초국적 농식품 복합체와 신자유주의 세계화에 대항하는 이론과 운동 목표를 갖고 있기 때문이다. 로컬푸드 운동은 세계 농식품 체제하에서 인위적으로 창출된 녹색혁명형 농업, 환경 파괴형 농업, 순환 파괴형 농업을 극복하는 운동이기 때문에, 현재의 관행 농업의 경제적, 사회적, 생태적 문제점 등에 대한 진지한 고민이 없다면 로컬푸드 운동은 성립할 수 없다. 따라서 로컬푸드 운동의 대상 먹거리는 친환경적으로 생산된 먹거리여야 하며, 최소한 현재는 로컬푸드 운동의 대상에 관행 농업으로 재배한 먹거리를 포함시키더라도 일정한 유예기간을 둔 후에는 친환경적으로 생산된 먹거리가 주 대상으로 되어야 한다. 단순히 지역산 농산물의 이용을 로컬푸드 운동으로 파악한다면 로컬푸드 운동을 통해서 얻고자 하는 가치의 많은 부분을 놓치는 것이라고 할 수 있다. 현재의 여건상 관행 농산물을 제외하고서는 지역산 농산물의 품목의 다양성을 확보하는 것이 불가능하다면, 일본의 직판장에서와 같이 저농약 수준의 농산물을 로컬푸드에 포함시키면서 생태적 농업으로 전환할 수 있도록 유도하는 것도 필요하다.

로컬푸드 운동은 고령농이나 중소농을 우선적으로 배려한다. 이는 대농에 대한 배제를 염두에 두는 것이 아니다. 이는 로컬푸드가 배타적인 지역주의에 입각하지 않는 것과 같은 맥락이라고 할 수 있다. 2010년의 통계자료를 보면 7.0ha의 경지 규모를 가지고 있는 농민들도 농업 소득으로 가계비를 충당하지 못하는 암담한 상황에 놓여 있다. 2.0~3.0ha 규모의 농업 소득 가계비 충족도는 41.2%에 미치지 못한다. 이런 상황에서 로컬푸드 운동이 상대적으로 큰 경지 규모의 농민과 그렇지 못한 농민을 차별한다면 이는 정의롭지 못하다. 그럼에도 불구하고 로컬푸드는 기본적으로 다품목을 생산하는 소규모 농민들을 우선적으로 고려할 수밖에 없다. 글로벌푸드에서 소규모 생산 농가는 배제될 수밖에 없었고, 가장 큰 피해자이기도 하다. 규모화된 농가의 경우도 사정이 크게 다를 바가 없지만, 소규모 생산 농가의 경우에는 더욱 불안한 시장에 항상 노출되어 있고, 심지어 시장 참여의 기회도 협소하다. 소규모 생산 농가도 크게 다를 바가 없다고 할 수 있지만, 규모화된 농가의 경우에는 단작 위주의 영농으로 인해 생태적 영농이 소규모 농가에 비해 더욱 어려운 상황에 있다. 이런 이유로 로컬푸드는 소규모 생산 농가가 우선적으로 고려의 대상이 될 수밖에 없다. 기존에 계통 출하 하던 전업농을 중심으로 로컬푸드 공급망을 설계하면 사업의 편의성은 높아지겠지만, 다품목 소량 생산을 통해서 직판장의 판매 품목을 높이고, 이를 통해 농생태적으로 바람직한 결과를 낳고자 하는 로컬푸드의 가치는 실현될 수 없게 된다. 뿐만 아니라, 그동안 지역이나 농정에서 소외되었던 소규모 생산 농가가 로컬푸드에서도 여전히 소외된다면, 사회적·경제적 정의의 회복이라는 로컬푸드의 가치도 훼손될 것이다.

다. 조직화와 중간 지원 조직

로컬푸드는 다수의 생산자와 다수의 소비자가 만나는 것이 아니라, 소수(혹은 1인)의 생산자 또는 생산자 조직이 다수의 소비자와 만나는 유통 형태이다. 로컬푸드 운동은 단순한 직거래가 아니라, '농'과 '식'의 거리를 축소하는 데 그 의미가 있고, 이를 통해 '얼굴 있는 먹거리'를 만들어 내는 것이기 때문에, 로컬푸드 사업은 기본적으로 소수의 생산 농가와 다수의 소비자가 결합할 수 있는 시스템을 안정적으로 유지하는 것이 관건이라고 할 수 있다.

첫째, 생산자의 조직화가 필요하다. 현재 개별 농가들의 단작화 경향이 심화되어 있는 상황에서 로컬푸드는 소비자가 필요로 하는 다품목을 생산해야 하기 때문에 기존의 작부 체계를 유지하면서 실행하는 것은 불가능하다. 따라서 이 문제를 해결하기 위해서는 생산 농민들이 다품목 소량 생산으로 전환하거나, 생산 농민의 조직화를 바탕으로 생산 품목을 조정하는 것이 필요하다. 기존의 소수 품목 중심의 영농에서 일시에 다품목 소량 생산으로 전환하는 데 따르는 여러 가지 어려움을 극복하기 위해서는 생산 농가 사이의 조정에 바탕을 둔 협업이 필수적이라고 할 수 있다. 그러나 협동을 통한 생산에 익숙하지 않은 생산자들을 조직해 내기 위해서는 로컬푸드 운동이 가지고 있는 의미와 가치에 대한 교육이 선행되어야 한다. 따라서 생산 농민의 조직화는 단순히 경제적 이득을 좇아 형성되는 것이 아니기 때문에, 지속적인 교육과 공감을 이끌어 낼 수 있는 기반을 조성하는 것이 중요하다. 또한 단순한 일과성의 조직이 아니라 생산자들이 협동조합이나 영농조합법인을 비롯한 사회적 경제 조직을 구성하여 운동의 지속가능성을 담보하는 것이 필요하다.

둘째, 소비자의 조직화가 필요하다. 생산 농민들이 안전하고 신선한 농산물을 다양하게 공급할 수 있는 시스템을 갖추었다고 하더라도 이에 대한 가치를 인식하고 기꺼이 이용하고자 하는 소비자층이 존재하지 않으면 로컬푸드 운동은 존재할 수 없다. 현재 대부분의 소비자는 대형 마트의 친환경 농산물 판매

코너나 생협 매장 등을 통해서 안전한 농산물로 인증된 먹거리를 손쉽게 구매할 수 있으며, 자신이 필요로 하는 개별 품목을 시장을 통해서 확보하는 것이 가능하다. 이런 상황에서 로컬푸드는 생산 환경에 맞춰서 나오는 제철 농산물이 주를 이루기 때문에 품목의 선택이라는 점에서 보면 선호도가 떨어질 수밖에 없다. 따라서 이러한 불편을 감수하면서도 로컬푸드를 통해서 얻을 수 있는 가치와 편익들에 공감할 수 있도록 소비자들을 교육하고, 이를 바탕으로 소비자들을 조직화하는 것이 필요하다.

셋째, 중간 지원 조직의 육성이 필요하다. 생산자의 조직화와 소비자의 조직화는 별개로 이루어지는 것이 아니라 동시에 이루어져야 하는 사업이므로, 생산자와 소비자의 대면적 관계를 바탕으로 '농'과 '식'의 물리적·사회적·심리적 거리를 축소시키는 역할을 담당하는 중간 지원 조직의 육성이 필요하다. 중간 지원 조직은 로컬푸드의 의미를 생산 농민들과 소비자들이 습득하도록 교육 프로그램을 시행하고, 로컬푸드에 참여하고자 하는 생산 농민들과 소비자들을 조직화하는 담당 인력을 지원하는 등의 역할을 수행한다.

라. 가치 사슬의 창출

1차 농산물을 원료로 하는 가공 사업은 그 부가가치가 생산자에게 귀속되기 때문에 농업 소득 증대에 기여할 뿐만 아니라, 과잉생산된 농산물이나 품질이 떨어지는 등외품을 가공원료로 활용할 수 있기 때문에 농가 경제에도 도움이 된다. 또한 농산물 가공 사업은 농촌의 고령 인구나 여성 노동력을 적극적으로 활용할 수 있다. 농산물 그대로는 부패 변질되어서 오래 저장할 수 없는 경우에도 건조, 염장, 통조림, 병조림 등으로 가공 처리하면 장기간 저장이 가능하다. 생체로 판매할 수 없는 규격 외품도 가공원료로 활용할 수 있으므로, 가공은 저급품의 가치를 향상시키는 역할을 한다. 저장성이 낮은 채소나 과일은 수확기에 가격이 하락할 때 일부를 가공·저장하여 판매하면 출하량 조절을 통하여 가격 하락 방지에도 기여할 수 있다. 뿐만 아니라, 가공 과정에서 발생한 부산물을 활용하여 사료나 비료로 이용한다면 외부 자원에 대한 의존도도 낮출 수 있다(윤병선, 2008b).

또한, 학교급식에서 로컬푸드를 활용하는 것은 여러 가지 점에서 의미 있는 활동이다. 학생들에게 신선한 식재료를 제공한다는 소극적 효과에서부터 지역의 농업을 매개로 식교육이 활발하게 이루어질 수 있는 계기를 제공할 수 있다. 지역 농산물을 학교에 제공하는 프로그램이나 지역의 대규모 급식 업체가 그 지역에서 생산된 먹거리를 이용하는 것도 관계에 기초한 푸드체인의 창출로서 로컬푸드 운동을 통해서 달성할 수 있는 의미 있는 성과 중의 하나라고 할 수 있다.

마. 로컬푸드 운동을 옹호하는 공공 정책의 수립

로컬푸드 운동과 관련한 정책협의회(policy council) 등을 통해서 로컬푸드 시스템을 만드는 협력 체계가 구축되어야 한다. 로컬푸드 운동의 궁극적 목표는 지역의 먹거리 자립에 입각한 지역 농식품 체계(local agri-food system)를 구축하는 것이므로, 로컬푸드 운동은 농업 생산의 지속가능성과 분리될 수 없다. 지역 농식품 체계는 생산과정과 유통, 가공, 소비 분야를 아우르는 인간의 삶과 환경에 직접 영향을 미치는 영역을 포괄하고 있기 때문에, 그것이 올바로 작동하기 위해서는 생산 농민이나 소비자뿐만 아니라 지역사회 구성원들과 지방자치단체의 참여가 필요하며, 이를 바탕으로 정책협의회가 구성되어야 한다. 더욱이 로컬푸드와 관련된 논의나 정책이 일과성으로 끝나지 않고 지속적으로 확산되기 위해서는 제도적인 뒷받침도 필요하다. 이런 점에서 로컬푸드 정책협의회는 농민 단체의 대표, 소비자 단체의 대표, 학교급식 관계자, 협동조합 관계자, 농식품 유통업자, 농식품 가공 조직, 복지 단체 관계자 등이 참여토록 한다. 그리고 로컬푸드 계획의 수립과 집행은 지역공동체의 교육, 의료, 산업, 행정, 복지, 문화 등 로컬푸드 체계와 관련된 다양한 영역에 영향을 미치기 때문에 지역사회 전체의 삶과 연동된 문제로 다루어져야 하고, 민관의 협치에 의해 이루어지는 것이 바람직하다고 할 수 있다.

바. 글로벌푸드에 대항하는 연대 운동

글로벌푸드는 대규모 단작과 자원을 과다 소비하는 녹색혁명형 농업에 바탕을 두고 있다. 신자유주의 세계화로 공고해진

현대의 농식품 체계 하에서 먹거리의 생산과 가공, 유통 및 소비 체계는 세계적 규모로 급속하게 통합되면서 선진국과 후진국을 막론하고 농업 생산과 관련한 전 과정이 초국적 농식품 복합체의 직·간접적인 지배하에 놓이게 되었고, 그 폐해는 건강한 농촌의 파괴로 이어지고 있다. 로컬푸드 운동은 현재의 글로벌푸드 시스템이 가능하게 된 사회경제적 요인과 그 결과에 대한 성찰로부터 시작해서 자본에 의한 농업 지배가 강화되면서 공고해진 '농'과 '식'의 단절을 어떻게 극복할 것인가라는 고민 속에서 나왔다. 이런 점에서 로컬푸드 운동도 유기농업 운동이나 생협 운동과 함께 대안 농식품 운동의 하나라고 할 수 있다.

그리고 더 중요한 것은 이들 운동이 서로 별개의 목표를 가지고 배타적으로 진행되는 운동이 아니라는 사실이다. 협동조합은 운동체와 사업체의 모순적 통일체로서의 결사체이다. 운동성의 강조는 자칫 사업체로서의 성과를 잠식할 수 있고, 사업성의 강조는 마찬가지로 운동체로서의 정체성을 훼손하게 될 것이다. 소비자 생활협동조합(생협)이 물류적 효율성을 달성하기 위한 다양한 고민들의 해결을 현실에서 추구하면서 양적 성장을 가져왔지만, 과거 소규모 단위에 기초해서 이루어졌던 관계들이 훼손되는 부작용도 나타났다. 물류적 효율성의 달성을 유일한 존재 이유로 삼고 있는 조직은 없는 만큼, 이 물류적 효율성을 달성하는 과정에서 놓쳐 버린 부분들을 찾아내는 것이 생협다움을 찾는 길이기도 하다. 협동조합은 운동성을 강화하면서 사업적 성과를 낼 수 있는 방안이 무엇인지를 고민해야 하며, 동시에 사업성을 강화하면서 운동 성과를 낼 수 있는 방안이 무엇인지를 고민해야 한다. 생협이 초기에 유기농업의 보루로서의 운동성을 가지고 있었기 때문에 사업체로서의 성공도 일궈 낼 수 있었고, 또한 생협의 사업체로서의 성과가 유기농업의 확산에도 기여할 수 있었다. 유기농업의 관행화, 생협의 정체성에 대한 우려 등이 제기되고 있는 상황에서 로컬푸드 운동에 대한 성찰은 이들 문제를 극복할 수 있는 중요한 기제로 작용할 수 있다. 특히 생협의 경우에는 관계성의 지속이나 신뢰의 구축에서 보다 우위에 있다고 할 수 있기 때문에 로컬푸드 운동을 통한 대안 모색이 용이할 뿐만 아니라, 생산자와 소비자의 관계성의 확대 및 심화가 수월하다고 할 수 있다.

로컬푸드 운동은 농산물의 가격 결정 구조에 대해서도 관심을 갖는다. 현대의 농식품 체계에서 농산물의 생산자인 농민은 소매가격으로 농업 투입재를 구매하면서도 자신이 생산한 농산물은 도매가격으로 판매하는 기형적인 구조 하에 놓여 있다. 또한 농산물의 가격 결정에서도 교섭력이 떨어질 수밖에 없는 한계를 가지고 있다. 생산 농민 스스로가 가격을 결정할 수 있는 구조가 가능하다는 것도 로컬푸드 운동은 보여 주고 있다. 바로 이러한 가치들은 유기농업 운동이나 생협 운동이 얻고자 했던 부분들이고, 이런 까닭에 로컬푸드 운동은 유기농업 운동과 생협 운동의 접합점에 함께 있다고 할 수 있다.

로컬푸드 운동의 효과

로컬푸드 운동이 가져올 효과(矢口芳生, 2006)는 다양하다.

첫째, 먹거리의 지역 내 자급과 자원의 지역 내 순환을 촉진한다. 농업은 토지나 물이라는 자연을 직접 이용하여 이루어지므로, 자연에 대한 부하를 환경 허용량 범위 내에서 처리하지 않으면 생산의 지속성과 식품의 안전성을 확보하는 것이 불가능하다. 농업 생산은 폐기물이 적고, 나오더라도 재이용이 가능하기 때문에 적정한 생산 활동이 이루어지면 환경에 대한 부하를 줄일 수 있는 산업이다. 그러나 수출 목적의 농업 생산은 효율 추구형의 농업이므로 환경 허용량을 초과하는 경우가 많다. 로컬푸드를 추진하는 것은 환경의 보전과 먹거리의 안전, 인간의 건강에 필요하다. 소비에 있어서도 지역에서 소비될수록 환경 부하는 줄어들게 된다. 생산된 지역에서 소비하는 것이 합리적이고, 이것이 지역의 식량 자급률을 높이고, 나아가 국가의 자급률도 높이게 된다.

둘째, 안전한 고품질의 농산물을 정당한 가격을 받고 공급하는 것을 가능하게 한다. 로컬푸드 운동은 지역에서 생산한 것을 지역에서 소비하기 때문에 '얼굴을 볼 수 있는 관계'를 만들어 내고, 이를 전제로 한 생산과 유통이 성립한다. '얼굴을 볼 수 있는 관계' = 신뢰 관계는 먹거리의 안전성 확보에 있어서뿐만 아니라 이력 추적에 있어서도 느슨한 형태이지만 낮은 비용으로 이를 가능하게 한다. '얼굴을 볼 수 있는 관계'를 구축한 로컬푸드는 신선할 뿐만 아니라 지역에서 생산되기 때문에, 생산자는 소비자의 요구를 쉽게 파악할 수 있는 장점도 가지고 있다. 규격외품이라 하더라도 신뢰를 바탕으로 하기 때문에 소비자의 구매를 유도할 수 있고, 이에 따라 농가의 매출은 증가하게 된다.

셋째, 고용 창출과 지역 자원의 활용을 촉진한다. 농업을 통한 지역사회의 신뢰 관계의 구축은 사람과 사람의 관계를 활성화하고, 지역을 위한 여러 가지 지혜를 발휘하도록 만든다. 전업농가뿐만 아니라 겸업농가도 로컬푸드의 주역이 될 수 있고, 휴경지의 감소에도 기여할 수 있다. 지역 전체로서는 외부로의 화폐 유출을 막고 지역 내 소득의 향상을 가져와서 지역 경제에 공헌한다. 또한 로컬푸드 운동을 통해서 여성이나 고령자도 농업의 주역으로 될 수 있다. 지역에 밀착되어 생활할 수밖에 없는 여성이나 고령자는 지역에서의 농업 생산 활동을 통하여 교류도 활발하게 할 수 있으며, 농산물 가공 등을 통하여 새로운 고용 기회도 가질 수 있다. 필연적으로 지역의 일을 일상적으로 처리해야 하는 경우도 많아져서 농업 후계자의 육성이나 지역 농업의 진흥으로 연결된다.

넷째, 식 교육과 인간 교육을 촉진한다. 예를 들어 학교급식에서 지역산 농산물을 이용하면 지역산 농산물에 대한 애착도 증대되고, 학생들이 지역 농업에 대한 인식을 새롭게 하는 교육적 효과도 얻을 수 있다. 이를 통해 학생들은 먹거리를 주체적으로 선택할 수 있는 능력도 배양하고, 부모 또한 지역의 문화

나 농업과 접촉할 수 있는 기회도 많아지게 된다. 로컬푸드 직
판장을 통해서 관계 맺는 사람들이 다양해지면 지역에 필요한
우수한 리더를 육성하기도 쉬울 것이다.

다섯째, 인간성의 회복과 건강 증진의 수단이 된다. 농촌은
녹색의 자연 공간일 뿐만 아니라, 그 자연이 살아 숨 쉬는 농산
물의 생산 공간이고, 풍부한 문화 공간이고, 전통 공간이기도
하다. 여기에 로컬푸드가 결합되어 방문자에게 농촌 주민의 일
상을 보여 주면 방문자의 생산 참여를 유도하고, 지역의 농업
과 지역 농산물을 체험토록 함으로써 방문자와 농촌 주민 모두
에게 건강을 가져다주고, 농촌 주민에게 활력을 불어넣어 준다.

여섯째, 식문화와 지역 문화의 복원을 가능하게 한다. 이탈리
아 북부 지역에서 시작된 슬로푸드 운동과 마찬가지로, 로컬푸
드도 전통 음식이나 향토 음식, 식문화를 유지 발전시킴으로써
이들의 기반이 되는 지역의 식재료, 생산자, 후계자를 지키는
것의 중요성이 강조된다.

로컬푸드 운동에 대한 평가

로컬푸드 운동은 건강, 자연, 지역 농민, 공동체, 사회적 관계,
생산자와 소비자 간의 연대감과 책임감 등의 측면에서 복합적
인 의미를 갖는 일종의 선택적 행위(Connell, Smithers and Joseph,
2008)라고 할 수 있다. 따라서 로컬푸드 운동이 가져온 다양한
변화 가운데 우리가 주목해야 할 부분이 생산자와 소비자의 관

계성의 회복이라고 할 수 있다. 이를 분석하는 개념적 틀로서 "배태성(embeddedness)"이라는 개념이 사용되기도 한다.[1] 이 배태성은 "다층적인 사회적 관계망에 의해서 복합적으로 중개되고 배태된 행위"로서, 경제적 행위의 사회적 요인을 강조함으로써 대안 먹거리 체계에 함축된 사회적 성격을 드러내 보여 주는 핵심 요소이다. 신뢰, 정서, 교류 등 경제적 차원을 벗어나 소비자와 생산자의 거래에서 형성되는 다양한 사회적 배태 양상이 대안성의 맥락에서 적극적으로 해석되고 평가되어 왔다. "사회적 배태성(social embeddedness)"은 신뢰, 사회적 상호성 및 책임 등과 연관된 가치, 즉 비경제적인 사회문화적 정서로서의 신뢰나 거래를 지속하게 하는 네트워크 및 상호 의무와 책임의 규범 요인으로 사회적 자본과 관계된다고 할 수 있다. "생태적 배태성(ecological embeddedness)"은 친환경 농산물이나 유기농과 같은 생태적 가치와 결합된 먹거리에 대한 소비자(혹은 생산자)의 동기화 및 욕구를 의미한다. 대안 먹거리 체계는 먹거리 자체의 성격 그리고 이를 생산하는 방식 등에 있어서 관행적 방식과는 구분되며, 그 차이만큼 지속가능성과도 직결되는 요소로 평가할 수 있다. "지역적 배태성(regional, spatial embeddedness)"은 지역에 대한 정체성 등 지역 의식을 전제로 지역 농산물을 구입하고 지역 농업에 대한 보호와 육성의 이점에 대해 인식하는 등 다양한 영역을 포괄하는 특징을 지닌다.

---

1. 대안 먹거리 체계에 있어서의 배태성과 관련된 논의는 Hinrichs(2000) 및 윤병선 외(2011) 참고.

그리고 이러한 배태성을 키워드로 삼아서 한국에서 진행된 연구들에 의하면, 로컬푸드 운동이 나름의 의미 있는 성과를 내고 있는 것으로 분석되었다. 예를 들면, 원주의 농민 시장에 참여하고 있는 소비자를 대상으로 한 연구 결과(윤병선 외, 2011; 윤병선 외, 2012)에 따르면, 소비자들의 친환경성에 대한 고려 및 만족도는 매우 높은 수준을 보여 주었다. 또한 지역에서 생산된 먹거리 및 생산자에 대한 신뢰와 높은 관련성이 확인되었다. 또한, 소비자와의 신뢰는 경작 방식을 친환경적으로 바꾸어 소비자에게 더 질 높은 안전한 농산물을 제공하는 행동을 동기화하는 주요 배경이 되었다. 또한, 원주 농민 시장을 찾는 생산자들의 참여 동기는 사회적 교류나 경제적 동기 모두 높게 나타났고, 적은 양의 농산물도 판매할 수 있기 때문에 참여한다는 의견도 압도적으로 높았다. 또한, 전반적으로 원주 농민 시장을 통해서 생산 농민과 소비자 사이에 사회적 배태성의 수준이 확대·심화되고 있는 사실을 확인할 수 있었다. 또한, 생태적 배태성과 관련해서도 긍정적인 변화를 확인할 수 있었는데, 작부 체계의 변화나 친환경 농법으로의 전환, 농약에 대한 의존도 감소, 재배 품목수의 증가 등이 대표적인 예라고 할 수 있다.

전국여성농민회총연합이 진행하고 있는 꾸러미 사업인 언니네 텃밭 사업에 참여하고 있는 생산자에 대한 설문 조사 결과(윤병선 외, 2013), 꾸러미 참여 후 영농 형태에 있어서 '다품목 소량 생산' 및 '친환경 생산'이 이루어졌다는 응답 비율이 높았다. 꾸러미 사업 참여를 통해 생산자가 얻는 가장 큰 경제적 효과는 '안정적 판로의 확보'였는데, 전체 응답자의 90.6%가 안정적 판로의 확보 측면에서 긍정적인 답변을 했다. 소비자들도 지역 경제를 꾸러미 구매의 중요한 요인으로 보고 있다. 꾸러미 구매가 '생산 지역의 농촌 경제 활성화,' '생산 지역의 지역 경제 공동체 건설'에 도움이 될 것이라는 긍정적인 답변이 각각 89.9%, 86.5%로 나타났다. 소비자 입장에서 경제적 효과는 꾸러미에 대한 가격과 질에 대한 만족도로 평가할 수 있다. 소비자 응답자의 70~80%가 가격과 질, 그리고 다양성에 만족한다는 긍정적인 답변을 했으며, 특히 전반적으로 만족한다는 긍정적인 답변은 88.2%로 매우 높게 나타났다.

로컬푸드 운동에서 나름 경계해야 할 지점들이 있다. 이른바 로컬의 함정에 빠지지 말아야 한다. 로컬푸드가 글로벌푸드로 인해 발생한 여러 가지 사회적·경제적 문제들을 단선적으로 해결해 줄 것이라는 환상을 갖지 말아야 한다. 로컬푸드의 가치에 대한 공유가 이루어지지 않은 상황에서 '지역'을 방어적인 개념으로 사용할 경우에는 감성적인 '신토불이' 운동의 재판에 불과한 초라한 모양으로 그 막을 내릴 가능성이 크다. 로컬푸드는 기본적으로 가까운 거리에서 생산된 먹거리를 의미하지만, 보다 중요한 것은 글로벌푸드로 인해서 망가진 농과 식의 관계들을 복원해 내는 것이고, 건강하고 질 좋은 먹거리의 생산과 소비를 지속가능하게 하는 것이고, 로컬푸드를 통해서 사회적 정의와 경제적 정의를 실현하고자 하는 의미를 담고 있다. 그러므로 로컬푸드 운동을 통해서 우리가 달성할 수 있는 가치

는 무엇이고, 그 가치를 달성하기 위해서 어떤 형태로 풀어 나
갈 것인가에 대한 지속적인 성찰이 필요하다. 로컬푸드는 목표
가 아니라 수단이라는 점을 인식하고, 목표와 수단, 목적과 전
략을 혼동하지 말아야 한다. 중요한 것은 로컬푸드가 어떠한
사회적, 경제적, 생태적 관계를 만들어 내면서 전개되는가에 있
지, 물적인 매개물로서의 먹거리가 로컬푸드라는 사실 자체에
있는 것은 아니다. 대안 운동이 운동을 통해서 극복하고자 했던
대상과 동일한 폐해를 가져온다면, 그것은 대안 운동으로서의
의미를 이미 상실한 것이나 다름없다. 대안 운동은 기존의 먹거
리 체계 속에 뿌리를 두고 있더라도, 스스로가 대안을 내세우며
맞서고 있는 대상과 유사하게 행동하는 것은 피해야 한다.

또한, 로컬푸드에 대한 비판적 성찰이 결여되면, 오히려 기업
들이 로컬을 기계적으로 차용하여 악용할 소지가 크다. 기업의
녹색 위장으로 로컬푸드가 사용되면, 로컬푸드는 가까운 거리
에서 생산된 신선한 먹거리를 의미할 뿐, 글로벌푸드에 대한 문
제의식과는 하등의 관계도 없게 되기 때문이다. 거대 시장을 지
향하면서 로컬푸드를 내세우고, 대규모 단작을 고집하면서 로
컬푸드를 이야기하고, 가격 결정에서 생산자의 교섭력을 한정
하면서 로컬푸드를 거론하는 것은 잘못된 것이다. 아무리 가까
운 곳에서 생산된 먹거리라 하더라도, 그것이 이윤을 목적으로
운동하는 거대 자본과 거대 유통 조직에 의해서 주도된다면, 그
것은 로컬푸드가 아니다. 또한, 꾸러미 사업만 보더라도, 생산
농민들이 어떻게 결합되어 있고, 꾸러미에 들어가는 먹거리를

생산하고 유통하는 과정에서 생산 농민이 어떻게 주체적으로
참여하고 있으며, 생산 농민과 소비자가 어떠한 관계를 맺고 있
는가 등의 문제의식이 결여되어 있다면, 그 꾸러미는 로컬푸드
운동의 가치를 상실한 "종합 선물 세트"에 불과할 뿐이다. 또
한, 정부가 복잡한 농산물 유통 구조를 단순화하기 위한 정책
수단으로, 또는 농산물 가격을 낮추기 위한 정책 수단으로 로
컬푸드 활성화 정책을 펼친다면, 이것 또한 로컬푸드 정책 "마
케팅"에 불과한 것이다.

한편, 로컬푸드 운동은 사회적 정의를 실현하는 수단으로도
고려되어야 한다. 로컬푸드를 매개로 하여 지역의 저소득층의
건강한 먹거리에 대한 접근권을 확대하기 위한 고민도 이루어
져야 한다. 지역을 중심으로 지역의 농민과 소비자가 직접적인
관계를 만들어 내고, 이를 계기로 배려와 돌봄의 지역 순환 경
제를 구축하고자 하는 목적을 로컬푸드 운동이 담고 있기 때문
이다.

로컬푸드와 6차 산업화

작년 농산물 가격 연쇄 폭락이라는 폭탄 돌리기가 휩쓸고 지나간 이후, 새봄을 맞은 농촌 사회에서는 농산물 가격에 대한 긴장감과 우려가 교차하고 있다. 농사지은 농산물이 시장에서 제값을 받고 팔려야 하는 것은 당연한 일이지만, 이 당연한 일이 우리 한국 사회에서는 운좋은 경우에나 있을 수 있는 예외적인 일로 되어 가고 있다. 농업에서 생산된 부가 농촌에 머무르지 못하고, 그 혜택이 농민에게 돌아가지 못하다 보니, 기존의 전략을 가지고서는 농업·농촌의 지속가능성을 담보해 내는 것이 불가능하다는 공감대도 확산되고 있다. 이런 이유로 지역 내에서 선순환 관계를 구축하는 매개 고리로서 농업의 6차 산업화에 대한 필요성도 대두되고 있으며, 이 농업의 6차 산업화를 달성할 수 있는 축으로 로컬푸드에 대한 관심도 증대되고 있다. 선순환 관계를 구축하는 매개 고리로서 농업의 6차 산업화가 기능하기 위해서는 그 중심에 농민이 있어야 한다는 점이 매우 중요하다.

다행히 전국의 여러 지역에서 농업의 융·복합 6차 산업화와 로컬푸드의 결합을 통해서 농촌 지역에 활력을 불어넣으려는 다양한 시도들이 전개되고 있어서 자못 기대되는 바가 적지 않다. 그럼에도 불구하고 여전히 농업의 융·복합 6차 산업화와 로컬푸드의 결합에 대한 인식이 부족한 경우도 많은 것이 현실이다.

로컬푸드 운동이 지향하는 관계

신자유주의 세계화가 확산되면서 농업과 먹거리에 대한 농민의 자기 결정권은 약화되고 대신 자본의 지배가 강고하게 되었다. 여기에 경제의 금융화, 투기화가 지구온난화나 에너지 위기와 결합되면서 농업 생산과 관련된 힘이 자본에게로 집중되고, 이것이 자본의 농업 지배 강화로 나타났다. 그 결과는 농업 생산의 시장 의존 심화, 국경을 초월한 먹거리의 이동 확대, 안전하지 못한 먹거리의 식탁 지배 등 농(農)과 식(食)의 관계 분열로 이어졌다. 이런 점에서 로컬푸드 운동은 현대의 농식품 체계에서 발생한 먹거리의 공간적 · 시간적 · 장소적 · 형태적 괴리의 확대를 극복하고자 하는 운동이라고 할 수 있다. 그리고 이를 통해 농과 식의 물리적, 사회적, 심리적 거리를 가능하면 줄이고자 하는 운동이다. 로컬푸드 운동을 대안 운동으로 이야기하는 이유는 현재의 관행화된 일반적인 농과 식의 관계를 극복하는 데 그 목적이 있기 때문이다. 또한 이런 이유로 로컬푸드와 관련해 종종 불필요한 오해가 생기기도 한다.

첫째, 로컬의 경계 또는 범위와 관련된 부분이다. 얼마 전 한 뉴스 프로그램에서 우리나라는 반경 50km 안에서 생산된 먹거리를 로컬푸드로 취급하는 미국에서 만들어진 개념을 그대로 들여와서 쓰고 있다는 보도가 있었다. 만일 그러하다면 매우 잘못된 개념이 들어온 것이고, 실제로 미국에서는 50km라는 통일된 기준이 있는 것도 아니다. 로컬푸드에서 담고자 하는 것은 물리적 거리에 의한 구획이 아니라, 글로벌푸드는 담아낼 수 없는, 기존의 관행 유통 채널에서는 담아내지 못하는 관계성이라고 할 수 있다. 즉, '얼굴 있는 농산물'을 매개로 한 농민의 가격 결정권과 농민에 대한 신뢰가 바로 로컬푸드가 담아내고자 하는 중요한 요소라고 할 수 있다.

둘째, 대안 운동으로서의 로컬푸드 운동에 대한 인식이 필요하다. '대안 운동'에서 '대안'과 '운동' 모두에 대하여 방점을 둘 필요가 있다. 즉, '대안'이 '대안'인 이유는 이것이 전체를 담아내지 못한다는 현실적 한계에 있다. 현재 대안 유통으로서의 로컬푸드가 유통 경로의 5%에도 이르지 못하는 상황에서 '농정'의 중심이 로컬푸드일 수는 없다는 현실적 인식도 필요하다는 점이다. '대안'에 대한 고민은 계속 가져가야 하지만, '로컬푸드'의 현실에 대한 인정도 중요하다는 점이다. 또한 '운동'이라는 측면에서도 로컬푸드 운동을 살펴볼 필요가 있다. 운동이란 변화를 이끌어 내기 위한 주체적, 의도적 활동이다. 따라서 어떤 변화를 모색하는 것인지에 대한 고민이 필요하다는 점이다. 이 지점이 로컬푸드와 6차 산업화의 결합이 가능한 부분이기도 하다. 6차 산업화는 그동안 자본에게 빼앗겼던 가공, 유통 등의 부분을 농민의 품으로 찾아오는 것을 의미한다. 이런 점에서 로컬푸드와 연결되어 농산 가공, 농가 레스토랑 등으로 로컬푸드의 영역이 확산되고 있다는 것은 바람직한 현상이라고 할 수 있고, 최근 예산군에서 로컬푸드와 6차 산업화를 융합적으로 결합해 지역 단위에서 발전을 꾀하는 시책은 의미 있는 농정이라고 할 수 있다.

셋째, 로컬푸드 운동의 중심에 로컬푸드 운동의 가치가 두어져야지, 성과 지표로서의 직판장의 수나 꾸러미 사업체 수가 정책의 중심이 되어서는 안 된다는 점이다. 2012년에는 직판장이 3개소에 불과했지만, 2015년 3월 기준으로 공공기관(13개소)과 농협(59개소), 법인(110개소) 등이 운영하는 직판장은 182개소에 달하는 것으로 확인되고 있다. 매우 짧은 기간 동안 괄목할 만한 성장을 이루었다고 할 수 있지만, 과연 로컬푸드의 가치가 실현되고 있는지에 대한 면밀한 평가가 이루어져야 한다. 로컬푸드 운동이 활성화되기 시작한 이 시점에서 각각의 주체들에 의해서 이루어지는 사업들이 갖고 있는 의미나 성과 등을 명확하게 분석하고 이를 공유함으로써 로컬푸드 운동과 6차 산업화의 융합을 통해서 농업·농촌에 희망을 만들어야 할 것이다.

윤병선, 『한국농어민신문』, 2015. 4. 21.

참고 문헌

제1부 농업 문제의 기초 이론

김병태(1982), 『한국농업경제론』, 비봉출판사.

_____(1992), 『토지경제론』, 백산서당.

_____(1998), 『운중(耘中) 김병태 저작집 Ⅲ』, 도서출판 한국농어민.

마이클 캐롤란(2013), 김철규 외 역. 『먹거리와 농업의 사회학』, 따비.

박근창(1980), 『농업경제학』, 일조각.

브루스터 닌(2004), 안진환 역, 『누가 우리의 밥상을 지배하는가』, 시대의 창.

안병직·장시원 편(1983), 『경제학개론』, 풀빛.

칼 마르크스(1990), 김수행 역, 『자본론』, 비봉출판사.

프레드 맥도프·존 포스터·프레드릭 버텔 편(2006), 윤병선·박민선·류수연 역, 『이윤에 굶주린 자들』, 울력.

한국농촌사회학회(2012), 『새로운 농촌사회학』, 집문당.

平井規之·北川和彦·瀧田和夫(1992), 이의규·윤병선 옮김, 『경제원론 ― 자본주의 경제학』, 한울.

磯正夫 監修(1989), 『現代農業經濟論』, ミネルヴァ書房.

近藤康男(1954), 『農業經濟研究入門』, 東京大出版會.

大內力(1953), 『農業問題』, 岩波書店.

大島淸(1959), 『農業問題序說』, 時潮社.

梅川勉·東井正美·南淸彦 編集(1974), 『農業經濟の基礎理論』, ミネルヴァ書房.

小林茂(1982), 『農業經濟學基礎理論』, 成文堂.

小川浩八郎(1971), 『農業經濟の基礎理論』, 靑木書店.

御園喜博(1971), 『農産物市場論』, 東京大學出版會.

栗原百壽(1956), 『農業問題入門』, 有斐閣.

井上周八(1968), 『農業經濟學の基礎理論』, 1968.

井野隆一(1975), 『現代資本主義と農業問題』, 大月書店.

井野隆一·重富健一·暉峻衆三·宮村光重 編著(1995), 『現代資本主義と食糧·農業』(上·下), 大月書店.

中野一新·杉山道雄 編(2001), 『グローバリゼーションと國際農業市場』, 筑波書房.

제2부 농업과 먹거리의 정치경제와 대안의 모색

1. 전후 세계 농식품 체계의 형성 과정

김철규(2008), 「현대 식품체계의 동학과 먹거리 주권」, 한국환경사회학회, 『ECO』 12(2).

라페 외(2005), 신경아 옮김, 『희망의 경계』, 시울.

박진도(1995), 「미국 농업정책의 기본구조와 개혁」, 『농업경제연구』 36.

브루스터 넌(2004), 안진환 역, 『누가 우리의 밥상을 지배하는가』, 시대의 창.

송원규·윤병선(2012), 「세계농식품체계의 역사적 전개와 먹거리위기」, 『농촌사회』 22(1).

윤병선(2008), 「세계 식품체계하에서 지역먹거리운동의 의의」, 『ECO』 12(2).

지글러(2007), 유영미 옮김, 『왜 세계의 절반은 굶주리는가?』, 갈라파고스.

헨더슨(2006), 「지역식품체계, 풀뿌리 수준부터 재건하기」, 프레드 맥도프 · 존 포스터 · 프레드릭 버텔 편, 『이윤에 굶주린 자들』, 윤병선 · 박민선·류수연 역, 울력.

핼웨일(2006), 김종덕 · 허남혁 · 구준모 옮김, 『로컬푸드』, 시울.

알티에리(2006), 「공업적 농업이 생태계에 미친 영향과 진정으로 지속 가능한 농업의 가능성」, 프레드 맥도프·존 포스터·프레드릭 버텔 편, 『이윤에 굶주린 자들』, 윤병선·박민선·류수연 역, 울력.

井野隆一(1988), 「多國籍アグリビジネスの支配戰略」, 『經濟』, 1988.3.

中野一新(2001), 「世紀の轉換期における農業市場のグローバル化とリーゾヨナル化」, 『グローバリゼーションと國際農業市場』(中野一新·杉山道雄 編), 筑波書房.

增田猛(1979), 『アメリカの對外援助』, 教育社.

川口融(1980), 『アメリカの對外援助政策』, アジア經濟研究所.

Anderson, Luke(2000), *Genetic Engineering, Food, and Our Environment*, Chelsea Green Publishing Company.

Arends-Kuenning, Mary and Flora Makundi(2000), "Agricultural Biotechnology for Developing Countries Prospects and Policies," *American Behavioral Scientist* 44(3).

Bhagwati, Jagdish(2004), *In Defense of Globalization*, Oxford.

Chataway, Joanna, Les Levidow, and Susan Carr(2000), *Genetic Engineering of Development? Myths and Possibilities, Poverty and Development* (Tim Allen, Alan Thomas ed.), Oxford University Press.

FAO(1996), *The State of the World's Plant Genetic Resources for Food and Agriculture*.

Gardner, Bruce(2009), *American agriculture in the twentieth century: How it flourished and what it cost*, Harvard University Press.

Gibbs, David(2000), "Bioscience Industry and Local Environmental responses," *Global Environmental Change* (10).

Glover, David and Ken Kuster(1990), *Small Farmers, Big Business*, London: Macmillan.

Kimbrell, Andrew ed.(2002), *The fatal harvest reader: the tragedy of industrial agriculture*, Island Press.

Lappé, Anna and Bryant Terry(2006), *Grub: Ideas for an urban organic kitchen*, Penguin.

McMichael, Philip(1992), "Tensions between National and International Control of the World Food Order: Contours of a New Food Regime," *Sociological Perspectives* 35(2).

McMichael, Philip ed.(1994), *The Global Restructuring of Agro-food System*, Cornell University Press.

Reardon, Thomas, Jean-Marie Codron, and Lawrence Busch(1999), "Global Change in Agrifood Grades and Standard: Agribusiness Strategic Responses in Developing Countries," *International Food and Agribusiness Management Review* 2(3).

Sorj, Bernardo and John Wilkinson(1994), "Biotechnologies, Multinationals, and the Agrofood System of Developing Countries," *From Columbus to ConAgra — The Globalization of Agriculture and Food* (Alessandro

Bonanno ed.), University Press of Kansas.

Teeple, Gary(2000), "What is Globalization?," *Globalization and its Discontents* (Stephen McBride and John Wiseman ed.), Macmilland Press Ltd.

UNCTAD(1993), *Environmental Management in Transnational Corporations. Report on the Benchmark Corporate Environmental Survey*, United Nations Center on Transnational Corporations (UNCTC).

2. 농업과 먹거리를 지배하는 거인 — 초국적 농식품 복합체

브루스터 닌(2004), 안진환 역, 『누가 우리의 밥상을 지배하는가』, 시대의 창.

팀 랭·마이클 헤즈먼(2006), 박중곤 역, 『식품전쟁』, 도서출판 아리.

윤병선(2004a), 「초국적 농식품 복합체의 농업지배에 관한 고찰」, 『농촌사회』 14(1).

윤병선(2004b), 「농업관련산업의 세계화 전략과 그 영향: 농약 및 종자산업을 중심으로」, 『산업경제연구』 17(5).

윤병선(2008), 「세계 농식품체계하에서 지역먹거리운동의 의의」, 『ECO』 12(2).

헤퍼난, 알티에리(2006), 「농업에서의 소유와 지배의 집중」, 프레드 맥도프·존 포스터·프레드릭 버텔 편, 『이윤에 굶주린 자들』, 윤병선·박민선·류수연 역, 울력.

홀트-히네메즈·파텔(2011), 농업농민정책연구소 녀름 옮김, 『먹거리반란』, 도서출판 따비.

久野秀二(2002), 「農業科學技術おめぐる政策全開と多國籍アグリビジネス」, 土地制度史學, 第175號.

Cavanagh, John, and Jerry Mander ed.(2002), *Alternatives to Economic Globalization*, Berrett-Koehler Publisher, Inc..

ETC Group(2011), "Who will control the Green Economy," *Corporate Concentration in the Life Industries Communiqué* 107.

James Jr, Harvey S., Mary K. Hendrickson, and Philip H. Howard(2013), "Networks, power and dependency in the agrifood industry," *The ethics and economics of agrifood competition*, Springer Netherlands.

Kesmodel, David, Lauren Etter, and Aaron O. Patrick(2008. 4. 30), "Grain Companies Profits Soar As Global Food Crisis Mounts," *The Wall Street Journal*.

Kneen, Brewster(1999), "Restructuring food for corporate profit: The corporate genetics of Cargill and Monsanto," *Agriculture and Human Values* 16(2).

Lawrence, Felicity(2011. 6. 2), "The global food crisis: ABCD of food – how the multinationals dominate trade," *The Guardian*.

Oxfam(2011), *Growing a Better Future – Food justice in a resource-constrained world*, Oxfam GB.

Paillotin, Guy(1999), "The Impact of Biotechnology on the Agro-Food Sector," *The Future of Food*, OECD.

3. 세계 농식품 체계와 위기의 한국 농업

경성방직주식회사(1969), 『경성방직 50년』.

권영근(1990), 「농축산물 수입개방의 현황과 그 영향」, 한국농어촌사회연구소 편, 『수입개방과 한국농업』, 비봉출판사.

김병태(1982), 『한국농업경제론』, 비봉출판사.

김화년 외(2010), 「글로벌 식량 공급불안, 한국경제를 위협하는가?」, 『CEO인포메이션』 770호, 삼성경제연구소.

농림수산식품부, 『농림업주요통계』, 각년판.

농민신문사(1949), 『농업경제연보』.

농수산부(1978), 『한국양정사』.

손종호(1980), 『한국농정의 발전사』, 인성출판사.

윤병선(1992), 『전후 농업공황의 변용과 국가독점자본의 역할』, 건국대학교 박사학위 논문.

이대근(1987), 『한국전쟁과 1950년대의 자본축적』, 까치.

최응상(1959), 『농정십년사』. 세문사.

한국농촌사회학회(2013), 『새로운 농촌사회학』, 집문당.

小澤健二(1985), 「アメリカの農産物輸出動向 農業政策」, 紙谷 貢 是永東彦 編著, 『農業保護と農産物貿易問題』, 農林統計協會.

4. 새로운 패러다임의 모색 — 식량 주권

송원규·윤병선(2012), 「세계농식품체계의 역사적 전개와 먹거리위기」, 『농촌사회』 22(1).

윤병선·김철규·김흥주(2012), 「한국과 일본의 식량주권운동에 관한 비교연구」, 『농촌사회』22(2).

Beus, Curtis E., and Riley E. Dunlap(1990), "The Paradigmatic Roots of the Debate." *Rural sociology* 55(4).

Buck, Daniel, Christina Getz, and Julie Guthman. "From farm to table: The organic vegetable commodity chain of Northern California," *Sociologia ruralis* 37(1).

FAO(1996), *Rome Declaration on World Food Security*.

La Via Campesina(1996), *A Future without Hunger*.

Rosset, Peter(2003), "Food Sovereignty: Global Rallying Cry of Farmer Movements," *Food First Backgrounder* 9(4).

Yoon, Byeong-Seon, Won-Kyu Song, and Hae-jin Lee(2013), "The Struggle for food sovereignty in South Korea," *Monthly Review* 65(1).

5. 소농·가족농의 조직화와 복합화

권영근(2009), 『지역순환형 사회를 꿈꾸며』, 흙내.

김병태(2014), 『운중(耘中) 김병태 저작집 IV』, 동아인쇄.

우자와 히로후미(2008), 이병천 옮김, 『사회적 공통자본』, 필맥.

박진도(2011), 『순환과 공생의 지역만들기』, 교우사.

인정식(1948), 『협동조합론』, 박문출판사.

쿠리모토 아키라 지음, 주영덕·김형미 옮김(2009), 『21세기의 새로운 협동조합원칙』, 생협전국연합회.

鈴木俊彦(2006), 『協同組合の軌跡とビジョン』, 農林統計協會.

石田正昭(2008), 『農村版コミュニティビジネ』, 家の光協會.

日本協同組合學會(1989), 『西暦2000年の協同組合 - レイドロ ― 報告』, 日本經濟評論社.

田中滿(2004), 『農産物直賣所運營てびき』, 農山漁村文協協會.

Friedmann, Harriet(1978), "World market, state, and family farm: Social bases of household production in the era of wage labor," *Comparative Studies in Society and History* (20).

6. 대안 농식품 운동: 유기농업 운동

농식품신유통연구원(2013), 『친환경농산물 유통·소비실태 조사』.

마이클 캐롤란(2013), 김철규 외 역, 『먹거리와 농업의 사회학』, 따비.

윤병선(2010), 「대안농업운동의 전개과정에 대한 고찰」, 『농촌사회』 20(1).

윤병선·김철규·송원규(2014), 「친환경농업과 대안성」, 『ECO』 18(2).

윤형근(2006), 「먹을거리의 공공화와 새로운 자립운동」, 『환경과 생명』 49.

조완형(2014), 「친환경 농식품의 소비·유통현황과 확대 전략」, 『우리나라 유기농업의 정체성 확립과 기반확대』, 한국유기농업학회.

Adams, D. and M. Salois(2010), "Local versus organic: A turn in consumer preferences and willingness-to-pay," *Renewable Agriculture and Food Systems* 25(4).

Beus, Curtis E. & Dunlap, R. E. (1990), "Conventional versus Alternative Agriculture: The Paradigmatic Roots of the Debate," *Rural Sociology* 55(4).

Buck, D., C. Getz, and J. Guthman(1997), "From farm to table: The organic vegetable commodity chain of Northern California." Sociologia ruralis 37(1): 3-20.

7. 대안 농식품 운동: 로컬푸드 운동

윤병선(2008a), 「로컬푸드 관점에서 본 농산가공산업의 활성화방안」, 『산업경제연구』 21(2): 501-522.

윤병선(2008b), 「세계 농식품체계하에서 지역먹거리운동의 의의」, 『ECO』 12(2).

윤병선(2013), 「로컬푸드에 대한 오해와 운동과제」, 『계간 농정연구』 통권 48호, 농정연구센터.

윤병선·김선업·김철규(2011), 「농민시장 소비자와 배태성 ― 원주 농민시장 참여 소비자의 태도에 관한 경험적 연구」, 『농촌사회』 21(2).

윤병선·김선업·김철규(2012), 「원주 농민시장 참여생산자의 특성과 배태성 효과에 관한 경험적 연구」, 『산업경제연구』 25(3).

윤병선·김철규·송원규(2013), 「먹거리 불안과 대안의 모색 ― 한, 일 비교: 한국과 일본의 지역먹거리운동 비교: 생협, 농민시장, 꾸러미를 중심으로」, 『농촌사회』 23(1).

矢口芳生(2006), 『共生農業システム成立の条件』, 農林統計協会.

Sonntag, Viki(2008), "Why Local Linkages Matter," *Sustainable Seatle*.

Connell, David J., John Smithers and Alun Joseph(2008), "Farmers' markets and the 'good food' value chain: a preliminary study," *Local Environment* 13(3).

Hinrichs, Clare(2000), "Embededdness and local food systems: notes on two types of direct agricultural market," *Journal of Rural Studies* 16.

찾아보기